200 cupcakes à croquer

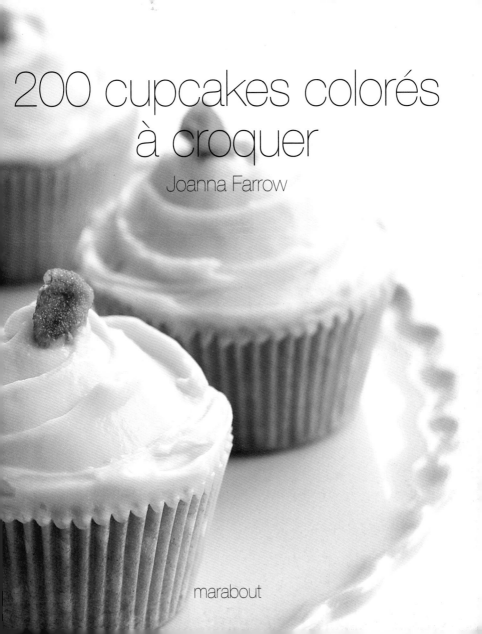

200 cupcakes colorés à croquer

Joanna Farrow

marabout

Publié pour la première fois en Grande-Bretagne
en 2010 sous le titre *200 cupcakes*.

© 2010 Octopus Publishing Group Ltd
© 2011 Hachette Livre (Marabout) pour la traduction
et l'adaptation françaises.

Crédits photos © Octopus Publishing Group Ltd/David
Munns, sauf les photos suivantes : Octopus Publishing
Group Ltd p. 20 ; Stephen Conroy pp. 16 (droite),
123 ; Vanessa Davies pp. 33, 135, 137 ; David
Munns pp. 68, 142, 180, 202 ; Lis Parsons pp. 49,
131, 211 ; Gareth Sambridge pp. 8, 25, 31, 39,
46, 71, 77, 83, 91, 101, 107, 111, 115, 119, 127,
141, 165, 179, 205, 209, 213, 219, 221, 225,
227, 231 ; Ian Wallace pp. 16 (gauche), 95, 103.

Traduit de l'anglais par Catherine Vandevyvere.
Mise en pages : les PAOistes.

Pour l'éditeur, le principe est d'utiliser des papiers
composés de fibres naturelles, renouvelables,
recyclables et fabriquées à partir de bois issus de forêts
qui adoptent un système d'aménagement durable.
En outre, l'éditeur attend de ses fournisseurs de papier
qu'ils s'inscrivent dans une démarche de certification
environnementale reconnue.

ISBN : 978-2-501-06977-9
Dépôt légal : mai 2011
40.6342.6/02
Imprimé en Espagne par Impresia-Cayfosa

sommaire

introduction

Les cupcakes connaissent un succès grandissant depuis quelques années, et l'on comprend vite pourquoi. Moelleux, sucré ou salé, le cupcake permet de succomber sans culpabiliser à un petit péché de gourmandise. Les cupcakes plaisent autant aux enfants qu'aux adultes. Les enfants en particulier adorent aider à les confectionner et à les décorer, avec un enthousiasme inépuisable. Joliment présentés dans leurs petites caissettes en papier, les cupcakes sont incroyablement polyvalents et ont leur place aussi bien à l'heure du goûter que dans un buffet de fête. De plus, ils sont en général simples à réaliser, ce qui n'empêche pas de se lancer de temps en temps dans des recettes un peu plus élaborées pour épater les convives ou pour fêter un anniversaire… On peut aussi soigner la présentation et emballer les cupcakes dans de jolies petites boîtes pour les offrir.

à occasions spéciales, cupcakes spéciaux

De plus en plus, les cupcakes remplacent le gâteau traditionnel. Tout le monde peut se lancer dans la confection de cupcakes, aussi bien les débutants que les cuisiniers expérimentés. Et vous verrez que vous obtiendrez des résultats aussi satisfaisants que si vous les aviez achetés chez un spécialiste. Essayez par exemple les cupcakes de mariage (page 224), joliment présentés sur un support à étages (voir ci-contre), ou encore des cupcakes au décor soigné qui feront sensation pour un anniversaire ou une cérémonie. Pour le décor, choisissez des fruits frais ou des fleurs en sucre toutes faites. Si vous avez le temps et l'envie, essayez les fleurs fraîches cristallisées (page 228) ou d'autres finitions plus complexes.

matériel

Réaliser des cupcakes ne requiert que très peu de matériel. Vous n'aurez besoin que d'un moule à muffins, de caissettes en papier et d'un fouet électrique pour concocter toutes sortes de cupcakes délicieux que vous pourrez ensuite décorer, simplement ou selon votre imagination.

moules à muffins

Moules aux parois droites, généralement pourvus d'alvéoles larges et profondes. Ils sont parfaits pour faire cuire des cupcakes. Vous en trouverez avec un revêtement anti-adhésif, ce qui est pratique pour cuire des petits gâteaux sans caissettes en papier.

caissettes en papier

Il en existe de toutes tailles : depuis les caissettes minuscules adaptées aux petites bouches des enfants jusqu'aux caissettes géantes, notamment pour les muffins. Vous en trouverez de toutes les couleurs, avec ou sans motifs. Soyez à l'affût des motifs fantaisie, notamment pour les fêtes enfantines. Vous en trouverez aussi des dorées, des argentées, des rouge vif, des multicolores… Dans ce livre, nous avons surtout utilisé des caissettes en papier plus petites que celles pour muffins. Prenez des caissettes pour muffins si vous n'avez que ça, mais vous aurez moins de cupcakes au final. Quelques recettes utilisent des mini caissettes parfois appelées caissettes « à petits-fours ». On trouve des moules avec de toutes petites alvéoles, mais si vous n'en trouvez pas,

vous pouvez poser les petites caissettes directement sur la plaque du four.

moules en silicone

On trouve aujourd'hui des moules souples en silicone, très pratiques. Il en existe même en forme de cœur et autres formes originales. Réutilisables, résistants au lave-vaisselle et au four, les moules en silicone sont simples d'utilisation et peuvent être posés directement sur une plaque de cuisson. Après utilisation, lavez-les et séchez-les soigneusement avant de les ranger.

emporte-pièces

Pensez-y pour confectionner des décors simplement et efficacement. En métal ou en plastique, il en existe de toutes formes

et tailles : des cercles classiques (pour des biscuits traditionnels), des tout petits en forme de fleur (pour décorer un gâteau), des chiffres, des lettres, des animaux, des étoiles, des lunes, des arbres, parmi une multitude de modèles. Achetez-en quand l'occasion se présente de manière à constituer une petite collection.

présentoirs

Pour un anniversaire ou un mariage, un présentoir sera du plus bel effet tout en éliminant la corvée du découpage. On en trouve en carton ou en plastique transparent, à monter soi-même, avec des supports ou des cloisons pour créer les différents niveaux. Les présentoirs en métal constitués de petits supports individuels sont un bon choix pour de plus petites réunions de convives. Vous les trouverez chez les fournisseurs de matériel de cuisine ou d'accessoires pour pâtissiers, ou encore sur le Net.

conserver des cupcakes

Les cupcakes sont évidemment meilleurs lorsqu'ils viennent d'être cuits. Toutefois, vous pouvez les conserver jusqu'à 24 heures dans une boîte hermétique. Si vous n'avez pas l'intention de les consommer dans les 2 jours, mieux vaut les congeler. Dans ce cas, pensez à les sortir du congélateur plusieurs heures avant de les garnir. Les cupcakes décorés avec de la crème au beurre ou un nappage au chocolat, comme les cupcakes au café et aux noix (page 170) ou les cupcakes et crème au chocolat

(page 70), peuvent être congelés tels quels. En revanche, pour une finition à la crème fraîche ou en pâte à sucre, mieux vaut faire le décor au dernier moment, après avoir décongelé les cupcakes.

quelques techniques de base

Contrairement aux grands gâteaux qui s'affaissent parfois au centre ou qui sont souvent trop ou pas assez cuits, on peut difficilement rater des cupcakes.

la pâte de base

Dans la plupart des recettes, tous les ingrédients sont fouettés ensemble avec un fouet électrique. Assurez-vous que le beurre soit bien mou. Sortez-le du réfrigérateur 1 heure à l'avance et laissez-le ramollir à température ambiante. Si vous ne l'avez pas fait, mettez-le quelques instants au micro-ondes. Pour préparer la pâte, comptez environ 1 minute avec un fouet électrique et de 3 à 4 minutes si vous mélangez la pâte avec une cuillère en bois. Vous pouvez aussi mixer les ingrédients dans un robot.

la pâte à cupcakes

Pour confectionner des cupcakes, il faut incorporer les ingrédients « humides » (œufs, beurre fondu, babeurre ou lait) aux ingrédients « secs » (farine, levure, fruits secs, arômes). Avec une grande cuillère en métal, mélangez délicatement et brièvement les ingrédients. Ne cherchez pas à éliminer tous les grumeaux car si vous remuez trop la pâte, sa texture sera moins souple.

remplir les caissettes

La pâte gonfle en cuisant : veillez à ne pas trop remplir les caissettes sans quoi la pâte débordera et les petits gâteaux s'affaisseront. Ne dépassez pas les deux tiers environ de la hauteur des caissettes. Si vous préparez plus de 12 cupcakes ou si vous avez un excédent de pâte et que votre four n'est pas à chaleur tournante, faites 2 fournées plutôt que d'inverser les grilles à mi-cuisson comme vous le feriez avec des biscuits ou des meringues, l'ouverture du four en cours de cuisson entraînant l'affaissement des gâteaux.

contrôler la cuisson des gâteaux

En fin de cuisson, ouvrez doucement le four et appuyez légèrement sur le dessus d'un

des gâteaux. La pâte doit avoir gonflé, elle doit être souple et ne pas céder à la pression. Pour une génoise de base, la croûte doit être légèrement dorée. Évitez la surcuisson pour préserver le moelleux de la pâte.

faire refroidir des cupcakes

La plupart des cupcakes doivent être froids avant d'être décorés. Quand vous les sortez du four, laissez-les reposer quelques minutes dans le moule. Sortez-les ensuite délicatement des alvéoles et posez-les sur une grille. Laissez-les refroidir complètement avant de les décorer, en particulier si vous utilisez de la crème fouettée ou de la crème au beurre. Certains cupcakes de ce livre, notamment certains muffins ou cupcakes salés, sont meilleurs chauds. Les muffins ne se conservent pas bien. S'il vous en reste de la veille, réchauffez-les brièvement avant de les servir, mais il vaut mieux congeler ceux que vous ne consommez pas tout de suite.

décors avec une poche à douille

Certains ingrédients, notamment la crème fouettée, la pâte à meringue, le chocolat fondu ou la crème au beurre, peuvent être déposés sur les cupcakes à l'aide d'une poche à douille. Vous obtiendrez ainsi un décor plus « pro », plus soigné que si vous utilisiez une cuillère ou un couteau. Vous trouverez chez les fournisseurs de matériel de cuisine ou d'accessoires pour pâtissiers des poches en nylon réutilisables sur lesquelles on peut adapter des douilles lisses ou étoilées. Il suffit ensuite de

les laver pour les réutiliser ultérieurement. Ces poches sont idéales pour réaliser de grandes rosettes ou des décors soignés comme celui des cupcakes au café et aux noix (page 170).

Pour réaliser des décors plus fins ou des motifs plus élaborés comme celui des cupcakes et décor rose et mauve (page 30), optez pour la poche en papier. Vous trouverez des cônes en papier chez les bons fournisseurs de matériel pour pâtissiers, mais vous pouvez en fabriquer vous-même dans du papier sulfurisé (page 16). L'avantage des poches jetables, c'est que l'on peut en utiliser plusieurs à la fois, notamment lorsqu'on a besoin de glaçages de différentes couleurs pour un même décor. Inutile d'insérer une douille en plastique ou en métal dans votre

cône en papier : il suffit de couper la pointe avec des ciseaux. Prenez garde toutefois de ne pas couper un trop grand morceau car le contenu de la poche s'écoulerait trop rapidement et en trop grande quantité.

fabriquer un cône en papier

Découpez un carré de papier sulfurisé de 25 cm de côté. Pliez-le en deux en diagonale. Coupez-le en deux, le long du pli. Enroulez ensuite un des triangles sur lui-même de manière à former un cône. Repliez plusieurs fois la partie dépassant de la base du cône pour qu'il ne se défasse pas. Coupez la pointe et insérez éventuellement une douille. Remplissez le cône jusqu'à mi-hauteur puis refermez-le en pliant le papier.

décor en écriture

Il existe des crayons pâtissiers de toutes les couleurs. Il s'agit en fait de tubes contenant un glaçage tout prêt, munis d'un embout étroit, idéals pour réaliser des décors fins. Vous en trouverez avec des embouts interchangeables.

faire fondre du chocolat

Il existe 3 façons pour faire fondre du chocolat. Mélangé à du beurre ou du lait, il fond plus vite du fait de la teneur élevée en graisses de ces ingrédients additionnels.

au bain-marie

Cassez le chocolat en petits morceaux et mettez-les dans un récipient résistant à la

chaleur. Posez le récipient sur une casserole d'eau frémissante, en vous assurant que la base du bol ne soit pas en contact avec l'eau du bain-marie. Quand le chocolat commence à ramollir, retirez la casserole du feu et attendez qu'il soit complètement fondu, en le remuant une ou deux fois pour qu'il soit bien lisse. Il est essentiel que pas une goutte d'eau ne tombe dans le récipient pendant que le chocolat fond (pas même de la vapeur), car il durcirait aussitôt et ne pourrait plus être ramolli.

au micro-ondes

Cassez le chocolat en petits morceaux et mettez-les dans un récipient adapté au micro-ondes. Faites fondre le chocolat par intervalles de 1 minute, en le surveillant de près. Faites particulièrement attention lorsque vous faites fondre du chocolat blanc ou du chocolat au lait car ils sont plus riches en sucre et donc plus enclins à brûler.

au four traditionnel

Cassez le chocolat en petits morceaux et mettez-les dans un petit récipient résistant au four. Glissez le récipient dans le four éteint, juste après la cuisson des cupcakes, et attendez qu'il soit fondu.

pâte à sucre prête à l'emploi

Vous trouverez de la pâte à sucre toute faite chez les fournisseurs de produits pour pâtissiers. Il s'agit d'une pâte souple et malléable, blanche ou colorée. Vous pouvez l'étaler au rouleau sur un plan de travail légèrement saupoudré de sucre glace puis la découper à l'emporte-pièce ou la façonner comme de la pâte à modeler. Malaxez-la brièvement au préalable pour l'assouplir et pour pouvoir l'abaisser plus facilement. La pâte à sucre blanche peut être colorée en y incorporant quelques gouttes de colorant alimentaire liquide (pour obtenir un ton pastel) ou de la pâte concentrée (pour obtenir un ton plus vif).

Emballez tout paquet de pâte à sucre entamé dans du film alimentaire pour éviter qu'elle ne sèche.

décors tout faits

Cela va des vermicelles et bonbons en sucre ou en chocolat vendus en grande surface aux décors élaborés que l'on trouve chez les spécialistes. Vérifiez la composition des décors bon marché avant de les acheter ou, du moins, utilisez-les avec parcimonie.

nappages

Les nappages suivants sont utilisés dans diverses recettes de ce livre. Vous pouvez aussi les utiliser pour garnir ou décorer les cupcakes de votre choix. Les trois recettes de nappage sont rapides et faciles à réaliser. La crème au chocolat requiert un peu plus de temps car il faut faire fondre le chocolat au préalable.

crème au beurre
Pour napper **12 cupcakes**
Préparation **5 minutes**

150 g de **beurre doux** en pommade
250 g de **sucre glace**
1 c. à c. d'**extrait de vanille**
2 c. à c. d'**eau chaude**

Mettez le beurre et le sucre glace dans un bol. Fouettez soigneusement avec une cuillère en bois ou un fouet électrique.
Ajoutez l'extrait de vanille et l'eau chaude, et fouettez de nouveau jusqu'à l'obtention d'une crème lisse.

crème au chocolat
Pour napper **12 cupcakes**
Préparation **5 minutes**
Cuisson **5 minutes**

100 g de **chocolat noir** ou **au lait** haché
2 c. à s. de **lait**
50 g de **beurre doux**
75 g de **sucre glace**

Mettez le chocolat, le lait et le beurre dans une petite casserole à fond épais. Faites chauffer à feu doux, en remuant, jusqu'à ce que le chocolat et le beurre soient fondus.
Hors du feu, incorporez le sucre glace jusqu'à l'obtention d'une crème lisse. Étalez ce nappage sur les cupcakes lorsqu'il est encore chaud.

crème au chocolat blanc
Pour napper **12 cupcakes**
Préparation **5 minutes**
Cuisson **5 minutes**

200 g de **chocolat blanc** haché
5 c. à s. de **lait**
175 g de **sucre glace**

Mettez le chocolat et le lait dans un récipient résistant à la chaleur. Posez le récipient au-dessus d'une casserole d'eau frémissante et laissez fondre, en remuant fréquemment.
Hors du feu, incorporez le sucre glace jusqu'à l'obtention d'une crème lisse. Étalez ce nappage sur les cupcakes lorsqu'il est encore chaud.

cupcakes
incontournables

cupcakes à la vanille

Pour **12 cupcakes**
Préparation **10 minutes**
Cuisson **20 minutes**

150 g de **beurre demi-sel**
  en pommade
150 g de **sucre en poudre**
175 g de **farine à levure**
  incorporée
3 **œufs**
1 c. à c. d'**extrait de vanille**

Garnissez un moule à muffins de 12 alvéoles
de caissettes en papier ou en aluminium, ou posez
12 petits moules en silicone sur une plaque de cuisson.
Versez tous les ingrédients dans un saladier et fouettez
jusqu'à l'obtention d'une crème légère. Répartissez
la pâte dans les caissettes ou dans les moules en silicone.

Faites cuire 20 minutes dans un four préchauffé
à 180 °C jusqu'à ce que les petits gâteaux soient
gonflés et juste fermes au toucher. Laissez refroidir
sur une grille.

Pour des cupcakes aux canneberges et aux épices,
préparez la pâte comme ci-dessus en ajoutant, avant
de fouetter, ½ cuillerée à café de quatre-épices en poudre
et 1 morceau de gingembre confit haché finement.
Quand le mélange est homogène, incorporez 75 g
de canneberges séchées. Faites cuire comme ci-dessus.

Pour des cupcakes au chocolat, préparez la pâte
comme ci-dessus, mais remplacez 15 g de farine
par 15 g de cacao en poudre.

cupcakes aux fruits secs

Pour **18 cupcakes**
Préparation **10 minutes**
Cuisson **25 minutes**

150 g de **beurre demi-sel**
en pommade
150 g de **sucre de canne
blond**
200 g de **farine à levure
incorporée**
3 **œufs**
1 c. à c. d'**extrait
d'amandes**
50 g de **fruits à coque**
mélangés, hachés
(**noix, noisettes**...)
75 g de **fruits secs**
mélangés

Garnissez de caissettes en papier 18 alvéoles de 2 moules à muffins de 12 alvéoles. Mettez le beurre, le sucre, la farine, les œufs et l'extrait d'amandes dans un saladier. Fouettez pendant 1 à 2 minutes avec un fouet électrique jusqu'à l'obtention d'une crème légère.

Ajoutez les fruits à coque et les fruits secs, puis mélangez soigneusement. Répartissez la pâte dans les caissettes.

Faites cuire 25 minutes dans un four préchauffé à 180 °C jusqu'à ce que les petits gâteaux soient gonflés et juste fermes au toucher. Laissez refroidir sur une grille.

Pour des cupcakes aux dattes et à l'orange,
prenez 150 g de grosses dattes séchées, dénoyautées. Coupez-les en 6 dans la longueur, en tranches fines, et hachez le reste. Préparez la pâte comme ci-dessus, en remplaçant l'extrait d'amandes par le zeste finement râpé de 1 orange, et les fruits à coque et les fruits secs par les dattes hachées. Disposez les tranches de dattes sur les petits gâteaux avant d'enfourner.

cupcakes à la carotte

Pour **12 cupcakes**
Préparation **20 minutes**
  + refroidissement
Cuisson **25 minutes**

150 g de **beurre demi-sel**
  en pommade
150 g de **sucre de canne**
  blond
3 œufs
150 g de **farine à levure**
  incorporée
½ c. à c. de **levure**
1 c. à c. de **quatre-épices**
  en poudre
75 g de **noix en poudre**
le **zeste** finement râpé
  de 1 **orange**
150 g de **carottes** râpées
50 g de **raisins secs**
  blonds

Garniture
125 g de **fromage frais**
275 g de **sucre glace**
1 c. à s. de **jus de citron**
noix hachées pour décorer

Garnissez un moule à muffins de 12 alvéoles de caissettes en papier. Mettez le beurre, le sucre, les œufs, la farine, la levure, le quatre-épices, les noix en poudre et le zeste d'orange dans un saladier. Fouettez 1 minute avec un fouet électrique.

Ajoutez les carottes râpées et les raisins secs. Remuez. Répartissez la pâte dans les caissettes.

Faites cuire 25 minutes dans un four préchauffé à 180 °C. Laissez reposer les gâteaux 5 minutes dans le moule puis laissez refroidir sur une grille.

Fouettez le fromage frais dans un bol à l'aide d'une cuillère en bois pour qu'il soit lisse et crémeux. Incorporez le sucre glace et le jus de citron, sans cesser de fouetter. Étalez le mélange sur les cupcakes à l'aide d'une petite palette. Décorez avec des noix hachées.

Pour des cupcakes aux courgettes et aux noisettes, râpez 150 g de courgettes et mettez-les dans une petite passoire. Saupoudrez de 2 cuillerées à café de sel et mélangez. Placez la passoire sur une assiette et laissez reposer 30 minutes. Rincez sous l'eau froide pour éliminer le sel. Épongez avec du papier absorbant. Préparez la pâte comme ci-dessus, en remplaçant les noix en poudre par 75 g de noisettes en poudre, ainsi que les carottes par les courgettes râpées. Préparez la garniture comme ci-dessus puis étalez-la sur les cupcakes. Décorez de quelques noisettes hachées.

cupcakes marbrés au café

Pour **12 cupcakes**
Préparation **15 minutes**
Cuisson **20 minutes**

125 g de **beurre demi-sel**
en pommade
125 g de **sucre en poudre**
+ 2 c. à c.
2 œufs
150 g de **farine à levure**
incorporée
½ c. à c. de **levure**
2 c. à c. d'**espresso**
en poudre
1 c. à c. d'**eau bouillante**
50 g d'**amandes** effilées,
légèrement grillées
¼ de c. à c. de **cannelle**
en poudre

Garnissez un moule à muffins de 12 alvéoles
de caissettes en papier. Mettez le beurre, 125 g de
sucre, les œufs, la farine et la levure dans un saladier.
Fouettez pendant 1 minute avec un fouet électrique
jusqu'à l'obtention d'une crème légère.

Versez la moitié de la pâte dans un bol. Diluez le café
dans l'eau bouillante puis incorporez ce mélange à la
moitié de la pâte. Avec une cuillère à café, remplissez
les caissettes de pâte nature et de pâte au café. Mélangez
légèrement avec la lame d'un couteau pour obtenir
un effet marbré.

Répartissez les amandes effilées sur les cupcakes.
Mélangez 2 cuillerées à café de sucre et la cannelle
puis saupoudrez ce mélange sur les amandes.

Faites cuire 20 minutes dans un four préchauffé
à 180 °C jusqu'à ce que les petits gâteaux soient
gonflés et juste fermes au toucher. Laissez refroidir
sur une grille.

Pour des cupcakes aux framboises, préparez
la pâte comme ci-dessus. Écrasez légèrement 75 g
de framboises fraîches dans un bol avec 2 cuillerées
à café de sucre en poudre. Il faut morceler les fruits
et non pas les réduire en purée. Remplissez les caissettes
de pâte jusqu'à la moitié de leur hauteur. Égalisez
la surface avec le dos d'une cuillère. Répartissez les
framboises dans les caissettes, puis versez le reste
de pâte. Faites cuire comme ci-dessus. Avant
de servir, saupoudrez de sucre glace.

cupcakes rose et mauve

Pour **12 cupcakes**
Préparation **40 minutes**
  + refroidissement
Cuisson **20 minutes**

200 g de **sucre glace**
  + quelques pincées
1 ou 2 c. à s. de **jus**
  de citron ou de **jus**
  d'orange
12 **cupcakes à la vanille**
  (page 22)
½ portion de **crème**
  au beurre (page 18)
quelques gouttes de **colorant**
  alimentaire rose et mauve

Mélangez le sucre glace et 1 cuillerée à soupe de jus de citron ou d'orange. Incorporez progressivement le reste de jus en remuant avec une cuillère en bois. Le glaçage doit épaissir tout en restant facile à étaler. Vous n'aurez peut-être pas besoin de tout le jus.

Réservez 3 cuillerées à soupe de glaçage et étalez le reste sur les cupcakes refroidis avec une petite palette. Ajoutez quelques pincées de sucre glace dans le glaçage restant pour qu'il durcisse davantage : des pics doivent se former lorsque vous y trempez la pointe d'un couteau. Versez ce glaçage dans une poche munie d'une douille à écriture ou dans un cône en papier dont vous aurez coupé la pointe (page 15).

Colorez la moitié de la crème au beurre avec le colorant rose et l'autre moitié avec le colorant mauve. Versez ces 2 préparations dans 2 poches distinctes, munies d'une douille étoilée. Déposez des lignes de crème au beurre colorée et de glaçage blanc sur les cupcakes.

Pour des cupcakes en cœur, pressez un emporte-pièce en forme de cœur au centre de chaque cupcake à la vanille jusqu'à 5 mm de profondeur. Sortez l'emporte-pièce et évidez légèrement. Faites chauffer 6 cuillerées à soupe de confiture de fraises ou de framboises dans une casserole pour la fluidifier. Remplissez les creux de confiture. Préparez une crème au beurre en fouettant 25 g de beurre doux ramolli et 50 g de sucre glace. Versez ce mélange dans une poche munie d'une douille à écriture. Cernez les cœurs avec ce mélange.

muffins myrtille-framboise

Pour **12 cupcakes**
Préparation **10 minutes**
Cuisson **20 minutes**

300 g de **farine ordinaire**
3 c. à c. de **levure**
125 g de **sucre en poudre**
50 g de **beurre demi-sel**
3 **œufs**
4 c. à s. d'**huile de tournesol**
1 ½ c. à c. d'**extrait de vanille**
150 g de **yaourt nature**
100 g de **myrtilles** fraîches
100 g de **framboises**
   fraîches

Garnissez un moule à muffins de 12 alvéoles de caissettes en papier. Versez la farine, la levure et le sucre dans un saladier. Remuez avec une fourchette.

Faites fondre le beurre à feu doux dans une petite casserole. Versez le beurre fondu dans le saladier, ajoutez les œufs, l'huile, l'extrait de vanille et le yaourt. Mélangez brièvement. Ajoutez les myrtilles et les framboises. Répartissez cette pâte dans les caissettes.

Faites cuire 15 minutes dans un four préchauffé à 200 °C jusqu'à ce que les muffins soient bien gonflés et que le dessus soit craquelé et doré.

Servez les muffins encore chauds en détachant les caissettes en papier avec un couteau à bout rond, ou laissez-les refroidir sur une grille.

Pour des muffins au genévrier et au pamplemousse, retirez l'écorce de 2 pamplemousses puis prélevez les quartiers de pulpe, entre les membranes translucides, au-dessus d'un bol pour recueillir le jus. Coupez les quartiers en petits morceaux. Avec un pilon, broyez 12 baies de genévrier et 1 cuillerée à soupe de sucre en poudre, le plus finement possible. Préparez la pâte à muffins, comme ci-dessus, en supprimant les myrtilles et les framboises, et en incorporant le mélange sucre-genévrier aux ingrédients secs et le pamplemousse aux ingrédients humides. Faites cuire comme ci-dessus puis nappez d'un glaçage préparé en mélangeant 2 cuillerées à café de jus de pamplemousse et 50 g de sucre glace.

cupcakes aux deux citrons

Pour **12 cupcakes**
Préparation **20 minutes**
Cuisson **35 minutes**

le **zeste** de 1 **citron vert**
  taillé en fines lamelles
150 g de **beurre demi-sel**
  en pommade
200 g de **sucre en poudre**
3 **œufs**
150 g de **farine à levure
  incorporée**
½ c. à c. de **levure**
50 g de **poudre d'amandes**
le **jus** de 1 **citron**
le **jus** de 2 **citrons verts**

Posez 12 petits moules individuels en silicone sur une plaque de cuisson ou garnissez de caissettes en papier un moule à muffins de 12 alvéoles.

Dans une petite casserole, faites chauffer les zestes avec de l'eau 15 minutes à feu très doux : les lamelles doivent être fondantes et se casser facilement lorsque vous les pincez entre le pouce et l'index. Égouttez et laissez refroidir.

Mettez le beurre, 150 g de sucre, les œufs, la farine, la levure et la poudre d'amandes dans un saladier. Fouettez 1 minute avec un fouet électrique. Répartissez la pâte dans les petits moules en silicone ou dans les caissettes en papier.

Faites cuire 20 minutes dans un four préchauffé à 180 °C. Posez les cupcakes sur une grille.

Répartissez les zestes sur les cupcakes encore chauds et arrosez de jus de citron. Saupoudrez avec le reste de sucre et laissez refroidir.

Pour des cupcakes à l'orange et aux noisettes,
prélevez le zeste de 2 petites oranges et 5 cuillerées à soupe de jus. Faites cuire le zeste et préparez la pâte, en remplaçant la poudre d'amandes par 50 g de noisettes moulues. Faites cuire comme ci-dessus. Quand les cupcakes sont froids, parsemez-les de zeste d'orange égoutté et de 25 g de noisettes hachées. Arrosez de jus d'orange et saupoudrez du sucre restant.

cupcakes noix de pécan et caramel

Pour **12 cupcakes**
Préparation **15 minutes**
Cuisson **25 minutes**

125 g de **beurre demi-sel**
en pommade
125 g de **sucre de canne
blond**
2 **œufs**
150 g de **farine à levure
incorporée**
½ c. à c. de **levure**
1 c. à c. d'**extrait de vanille**
100 g de **noix de pécan**
hachées grossièrement
250 g de **sauce caramel**
(voir ci-contre)

Garnissez de caissettes en papier un moule à muffins de 12 alvéoles. Mettez le beurre, le sucre, les œufs, la farine, la levure et la vanille dans un saladier. Fouettez 1 minute avec un fouet électrique jusqu'à l'obtention d'une crème légère.

Incorporez 75 g de noix de pécan puis répartissez la pâte dans les caissettes en papier.

Faites cuire 20 minutes dans un four préchauffé à 180 °C jusqu'à ce que les petits gâteaux soient gonflés et juste fermes au toucher. Posez les cupcakes sur une grille.

Versez la sauce caramel dans une petite casserole. Faites chauffer à feu moyen, en remuant. Le caramel doit devenir fluide sans bouillir. Versez le caramel chaud sur les cupcakes. Décorez avec les noix de pécan restantes. Retirez éventuellement les caissettes en papier avant de servir.

Pour une sauce caramel maison dont vous pourrez napper les cupcakes, versez 200 g de sucre en poudre et 75 ml d'eau dans une petite casserole. Faites dissoudre le sucre à feu très doux. Portez à ébullition et maintenez l'ébullition sans remuer jusqu'à ce que le sirop devienne d'un beau blond doré (surveillez la cuisson de près car le caramel brûle facilement). Hors du feu, incorporez 50 g de beurre demi-sel et 150 ml de crème fraîche. Remettez la casserole sur le feu et faites cuire, en remuant, jusqu'à ce que le caramel soit bien lisse.

cupcakes à la crème et aux fraises

Pour **12 cupcakes**
Préparation **30 minutes**
+ refroidissement
Cuisson **20 minutes**

12 **cupcakes à la vanille**
(page 22)
300 g de petites **fraises**
fraîches
150 ml de **crème fraîche**
2 c. à c. de **sucre en poudre**
½ c. à c. d'**extrait de vanille**
4 c. à s. de **gelée**
de groseille
1 c. à s. d'**eau**

Évidez les cupcakes avec un petit couteau, de manière à laisser un grand creux au centre de chaque gâteau.

Équeutez les fraises. Mettez-en 6 de côté parmi les plus petites. Coupez les autres en tranches fines.

Fouettez la crème, le sucre et l'extrait de vanille dans un récipient, avec un fouet électrique. Remplissez les cupcakes de ce mélange puis lissez le dessus avec le dos d'une cuillère.

Disposez les tranches de fraises sur la crème, en les faisant se chevaucher. Coupez en deux les 6 petites fraises réservées et posez-les au centre.

Faites chauffer la gelée de groseille et l'eau dans une petite casserole à fond épais. Quand la gelée est fluide, badigeonnez-en les fraises à l'aide d'un pinceau. Conservez au frais jusqu'au moment de servir.

Pour des cupcakes à la crème et à la banane,
préparez des cupcakes à la vanille (page 22) en remplaçant le sucre en poudre par 150 g de sucre de canne blond. Coupez 2 petites bananes en rondelles puis arrosez-les avec 1 cuillerée à soupe de jus de citron. Fouettez 150 ml de crème fraîche et 1 cuillerée à café d'extrait de vanille. Déposez 1 cuillerée de crème à la vanille sur chaque cupcake refroidi, puis lissez la surface. Déposez ½ cuillerée à soupe de caramel tout fait au centre de chaque cupcake puis décorez de rondelles de banane. Parsemez de 1 biscuit au gingembre émietté.

cupcakes raisins secs et gingembre

Pour **12 cupcakes**
Préparation **15 minutes**
+ refroidissement
Cuisson **20 minutes**

50 g de **gingembre frais**
125 g de **beurre demi-sel**
en pommade
125 g de **sucre en poudre**
2 **œufs**
150 g de **farine à levure
incorporée**
½ c. à c. de **levure**
½ c. à c. d'**extrait de vanille**
50 g de **raisins secs blonds**
200 g de **sucre glace**
quelques morceaux
de **gingembre confit**,
taillés en lamelles,
pour décorer

Garnissez de caissettes en papier un moule à muffins de 12 alvéoles. Pelez et râpez finement le gingembre, au-dessus d'une assiette, pour récolter le jus. Mettez le beurre, le sucre, les œufs, la farine, la levure et la vanille dans un saladier. Ajoutez le gingembre râpé, en réservant le jus pour le glaçage. Fouettez le mélange au fouet électrique pendant environ 1 minute.

Ajoutez les raisins secs puis répartissez la pâte dans les caissettes.

Faites cuire 20 minutes dans un four préchauffé à 180 °C. Laissez refroidir les cupcakes sur une grille.

Fouettez le sucre glace dans un bol, avec le jus de gingembre et juste ce qu'il faut d'eau pour obtenir un glaçage onctueux. Étalez le glaçage sur les cupcakes avec une petite palette. Décorez avec les lamelles de gingembre confit.

Pour des cupcakes au gingembre, glaçage au beurre, préparez la pâte comme ci-dessus, en remplaçant le gingembre frais par 3 morceaux de gingembre confit, finement hachés, et les raisins secs par 50 g de dattes séchées, dénoyautées et coupées en lamelles. Faites cuire comme ci-dessus. Fouettez 100 g de beurre doux en pommade, 175 g de sucre glace et 1 cuillerée à café d'eau chaude jusqu'à l'obtention d'un mélange lisse et crémeux. Nappez les cupcakes refroidis de cette préparation et décorez avec du gingembre confit haché.

cupcakes aux loukoums et à la rose

Pour **12 cupcakes**
Préparation **15 minutes**
  + refroidissement
Cuisson **20 minutes**

125 g de **loukoums**
  parfumés à la rose
125 g de **beurre demi-sel**
  en pommade
125 g de **sucre en poudre**
2 **œufs**
150 g de **farine à levure**
  incorporée
½ c. à c. de **levure**
1 c. à c. d'**extrait de vanille**

Garniture
300 ml de **crème fraîche**
2 c. à c. d'**eau de rose**
2 c. à c. de **sucre glace**
les **graines** de 1 petite
  grenade

Garnissez de caissettes en papier un moule à muffins de 12 alvéoles. Coupez les loukoums en petits morceaux avec des ciseaux. Mettez les autres ingrédients pour la pâte dans un saladier et fouettez 1 minute avec un fouet électrique jusqu'à l'obtention d'une crème légère.

Ajoutez les loukoums puis répartissez la pâte dans les caissettes.

Faites cuire 20 minutes dans un four préchauffé à 180 °C jusqu'à ce que les petits gâteaux soient gonflés et juste fermes au toucher. Laissez refroidir les cupcakes sur une grille.

Fouettez la crème fraîche dans un bol, avec l'eau de rose et le sucre glace, jusqu'à ce que des pointes souples se forment. Déposez des rosettes de crème à l'eau de rose sur les cupcakes, avec une petite palette ou à l'aide d'une poche munie d'une grande douille étoilée. Décorez avec les graines de grenade.

Pour des cupcakes poudrés, parfumés à l'eau de rose, préparez et faites cuire la pâte à cupcakes comme ci-dessus, en supprimant les loukoums. Mélangez 50 g de sucre en poudre, 1 cuillerée à soupe d'eau de rose et 2 cuillerée à café de jus de citron. Percez les cupcakes avec une pointe, sans attendre qu'ils refroidissent, puis arrosez-les avec le mélange à l'eau de rose. Laissez refroidir puis saupoudrez généreusement de sucre glace.

cupcakes aux cerises

Pour 12 cupcakes
Préparation **20 minutes**
+ refroidissement
Cuisson **25 minutes**

100 g d'**amandes entières**
mondées
100 g de **beurre demi-sel**
en pommade
100 g de **sucre en poudre**
2 **œufs**
125 g de **farine à levure**
incorporée
1 c. à c. de **levure**
100 g de **cerises confites**
coupées en quatre
4 c. à s. de **confiture**
de cerises ou **de fraises**
100 g de **sucre glace**
2 ou 3 c. à c. d'**eau**
6 **cerises** fraîches coupées
en deux et dénoyautées,
pour décorer

Garnissez de caissettes en papier un moule à muffins de 12 alvéoles. Dans un robot, hachez les amandes.

Versez la poudre d'amandes dans un saladier. Ajoutez le beurre, le sucre, les œufs, la farine et la levure. Fouettez soigneusement pendant environ 1 minute avec un fouet électrique.

Ajoutez les cerises confites puis répartissez la pâte dans les caissettes.

Faites cuire 25 minutes dans un four préchauffé à 180 °C. Laissez refroidir les gâteaux sur une grille.

Passez la confiture au tamis puis nappez-en les cupcakes. Fouettez le sucre glace et l'eau dans un bol jusqu'à l'obtention d'un glaçage assez épais. Déposez un peu de ce mélange sur chaque cupcake et décorez avec les cerises fraîches.

Pour des cupcakes au gingembre et à l'ananas,

préparez la pâte à cupcakes comme ci-dessus, en ajoutant ½ cuillerée à café de gingembre en poudre aux autres ingrédients, avant de fouetter, et en remplaçant les cerises confites par 100 g d'ananas séché, coupé en petits morceaux. Faites cuire comme ci-dessus et laissez refroidir. Pressez 5 cuillerées à soupe de confiture d'ananas ou de gingembre à travers un tamis puis nappez-en les cupcakes. Parsemez de 75 g de miettes de biscuits au gingembre et saupoudrez de sucre glace avant de servir.

cupcakes papillons

Pour **12 cupcakes**
Préparation **25 minutes**
+ refroidissement
Cuisson **20 minutes**

12 **cupcakes à la vanille**
(page 22)
1 portion de **crème
au beurre** (page 18)

Découpez un disque de pâte au sommet de chaque cupcake refroidi à l'aide d'un petit couteau bien tranchant. Coupez chaque disque en deux.

Mettez la crème au beurre dans une grande poche munie d'une large douille étoilée. Déposez une grande rosette de crème au centre de chaque petit gâteau.

Positionnez les moitiés de disque dans la crème au beurre, en les inclinant à 45°, de manière à simuler les ailes d'un papillon.

Pour des cupcakes papillons à la crème pâtissière, fouettez 4 jaunes d'œufs, 50 g de sucre en poudre, 1 cuillerée à café d'extrait de vanille et 15 g de farine ordinaire, dans un récipient résistant à la chaleur. Portez 150 ml de crème fraîche et 150 ml de lait à ébullition dans une petite casserole. Versez le mélange crème-lait bouillant dans la préparation aux œufs, et remuez bien. Reversez le tout dans la casserole et faites chauffer à feu doux, en remuant constamment jusqu'à épaississement. Versez la crème dans un bol puis saupoudrez-la de sucre pour éviter la formation d'une peau. Laissez refroidir. Poursuivez comme ci-dessus, en remplaçant la crème au beurre par de la crème pâtissière à la vanille.

cupcakes à l'orange et au citron

Pour **12 cupcakes**
Préparation **20 minutes**
+ refroidissement
et temps de prise
Cuisson **15 à 20 minutes**

50 g de **beurre demi-sel**
100 g de **sucre en poudre**
2 **œufs**
100 g de **farine à levure
incorporée**
1 c. à s. de **zeste de citron**
râpé finement
2 c. à s. d'**eau de fleur
d'oranger**
2 ou 3 c. à s. de **lait**

Glaçage
200 g de **sucre glace**
tamisé
1 ½ c. à s. de **jus d'orange**
1 ½ c. à s. de **jus de citron**
**colorants alimentaires
orange et jaune**
zeste d'orange et **de citron**
râpé finement et tourné
dans du sucre en poudre,
pour décorer

Garnissez un moule à muffins de 12 alvéoles
de caissettes en aluminium. Fouettez dans un saladier
le beurre, le sucre, les œufs, la farine et le zeste de citron
à l'aide d'un fouet électrique. Ajoutez l'eau de fleur
d'oranger et assez de lait pour obtenir un mélange
onctueux. Répartissez la pâte dans les caissettes.
Faites cuire 15 à 20 minutes dans un four préchauffé
à 200 °C. Laissez refroidir sur une grille.

Coupez la partie renflée des gâteaux. Mélangez
la moitié du sucre glace avec le jus d'orange et du
colorant orange. Mélangez l'autre moitié du sucre glace
avec le jus de citron et du colorant jaune. Remuez.

Versez une petite quantité de glaçage orange sur
la moitié des cupcakes. Lissez la surface avec le dos
d'une petite cuillère. Répétez l'opération avec le glaçage
jaune sur les 6 autres cupcakes. Décorez avec
le zeste d'orange et de citron. Laissez prendre.

Pour des cupcakes aux groseilles et au sureau,

dans la pâte remplacez l'eau de fleur d'oranger par
du sirop de fleurs de sureau. Coupez 100 g de groseilles
à maquereau en tranches fines puis faites-les cuire
2 minutes dans une casserole, avec 2 cuillerées à soupe
d'eau. Faites chauffer 2 cuillerées à soupe de confiture
de groseilles à maquereau puis passez-la au tamis.
Ajoutez 1 cuillerée à soupe d'eau bouillante et les
groseilles en lamelles. Fouettez 150 ml de crème fraîche
et 3 cuillerées à soupe de sirop de fleurs de sureau
puis nappez-en les cupcakes refroidis. Finissez
par le glaçage aux groseilles.

cupcakes au miel et à la banane

Pour **12 cupcakes**
Préparation **20 minutes**
+ refroidissement
Cuisson **25 minutes**

125 g de **farine ordinaire**
1 c. à c. de **levure**
¼ de c. à c. de **bicarbonate
de soude**
75 g de **beurre demi-sel**
fondu
75 g de **sucre de canne
blond**
2 **œufs** battus
2 petites **bananes**
très mûres, écrasées

Garniture
100 g de **beurre doux**
en pommade
5 c. à s. de **miel liquide**
5 c. à s. de **sucre glace**
quelques tranches de
banane séchée (facultatif)

Garnissez un moule à muffins de 12 alvéoles
de caissettes en papier. Tamisez la farine, la levure
et le bicarbonate dans un bol.

Mélangez le beurre fondu, le sucre, les œufs
et la purée de bananes dans un saladier. Ajoutez
les ingrédients secs et remuez jusqu'à l'obtention d'une
pâte homogène. Répartissez-la dans les caissettes.

Faites cuire 25 minutes dans un four préchauffé
à 160 °C. Laissez refroidir sur une grille.

Fouettez le beurre en pommade, le miel et le sucre
glace dans un bol jusqu'à l'obtention d'une crème
lisse. Nappez les cupcakes de ce mélange à l'aide
d'une petite palette. Décorez éventuellement
de quelques rondelles de banane séchée.

Pour des cupcakes au yaourt et à la banane,
écrasez 1 grosse banane très mûre. Fouettez 100 g
de beurre demi-sel ramolli et 75 g de sucre de canne
blond jusqu'à l'obtention d'un mélange crémeux
et blanchâtre. Ajoutez la purée de bananes, 1 œuf et
150 g de yaourt grec. Incorporez délicatement 150 g
de farine à levure incorporée et ½ cuillerée à café de
levure tamisée. Répartissez la pâte dans les caissettes
et faites cuire comme ci-dessus. Posez les cupcakes
sur une grille et arrosez chacun d'eux avec 1 cuillerée
à café de sirop d'érable. Servez chaud ou froid.

50

cupcakes à la rhubarbe

Pour **12 cupcakes**
Préparation **20 minutes**
+ refroidissement
Cuisson **45 minutes**
à 1 heure

huile de tournesol
pour graisser la plaque
de cuisson
250 g de **rhubarbe** fraîche,
parée et coupée
en tronçons de 1 cm
200 g de **sucre de canne
blond**
175 g de **beurre demi-sel**
en pommade
225 g de **farine à levure
incorporée**
1 c. à c. de **levure**
½ c. à c. de **cannelle
en poudre**
3 **œufs**
3 c. à s. d'**amandes** effilées
sucre glace pour décorer

Garnissez un moule à muffins de 12 alvéoles de caissettes en papier. Huilez une plaque de cuisson recouverte de papier d'aluminium. Étalez la rhubarbe dessus. Saupoudrez de 25 g de sucre et faites cuire 20 à 30 minutes dans un four préchauffé à 200 °C. Laissez refroidir. Baissez le four à 180 °C.

Fouettez dans un saladier 150 g de sucre, 150 g de beurre, 175 g de farine, la levure, la cannelle et les œufs pendant 1 minute avec un fouet électrique. Répartissez la pâte dans les caissettes. Égalisez la surface puis répartissez la rhubarbe sur la pâte.

Mettez le reste de beurre et de farine dans un robot. Travaillez le mélange jusqu'à l'obtention d'une chapelure grossière. Ajoutez le reste de sucre et mélangez brièvement. Répartissez ce crumble sur les cupcakes puis parsemez d'amandes effilées.

Faites cuire 25 à 30 minutes. Laissez refroidir sur une grille. Saupoudrez de sucre glace avant de servir.

Pour des cupcakes aux framboises et aux flocons d'avoine, dans la pâte remplacez 25 g de farine par 25 g de flocons d'avoine. Répartissez la pâte dans les caissettes et égalisez la surface. Déposez 1 cuillerée à café de confiture de framboises dans chaque caissette. Faites un crumble avec 25 g de farine ordinaire, 25 g de flocons d'avoine et 25 g de beurre. Incorporez 25 g de cassonade. Répartissez ce mélange dans les caissettes, parsemez d'amandes effilées et faites cuire comme ci-dessus.

cupcakes à la crème passion

Pour 12 cupcakes
Préparation **20 minutes**
+ refroidissement
Cuisson **20 à 25 minutes**

150 g de **beurre demi-sel**
en pommade
150 g de **sucre en poudre**
3 **œufs**
150 g de **farine à levure
incorporée**
½ c. à c. de **levure**
1 c. à c. d'**extrait de vanille**
4 **fruits de la passion**
150 ml de **crème fraîche**
100 à 150 g de **sucre glace**
+ 1 c. à s.

Garnissez un moule à muffins de 12 alvéoles
de caissettes en papier. Dans un saladier, fouettez
le beurre, le sucre, les œufs, la farine, la levure et
l'extrait de vanille 1 minute avec un fouet électrique.
Répartissez la pâte dans les caissettes. Faites cuire
20 à 25 minutes dans un four préchauffé à 180 °C.
Laissez refroidir sur une grille.

Coupez 2 fruits de la passion en deux puis prélevez
la pulpe. Fouettez la pulpe dans un bol avec la crème
fraîche et 1 cuillerée à soupe de sucre glace.

Détachez les caissettes des cupcakes puis coupez
ces derniers en deux, horizontalement. Reconstituez
les petits gâteaux en collant les moitiés avec la crème
aux fruits de la passion.

Prélevez la pulpe des 2 fruits de la passion restants.
Avec un fouet, incorporez-lui le reste de sucre glace
jusqu'à l'obtention d'un glaçage fluide. Nappez les
cupcakes de ce mélange.

Pour des cupcakes à la pêche et à la groseille,
préparez les cupcakes comme ci-dessus. Laissez-les
refroidir et coupez-les en deux, horizontalement. Fouettez
150 ml de crème fraîche et 1 cuillerée à soupe de liqueur
à l'orange ou de jus d'orange. Nappez la partie inférieure
des cupcakes de ce mélange. Dénoyautez 1 pêche
mûre à point et taillez-la en tranches fines. Répartissez
les lamelles de pêche sur la crème, avec 75 g
de groseilles rouges. Reformez les cupcakes.
Saupoudrez-les de sucre glace.

cupcakes aux marshmallows

Pour **12 cupcakes**
Préparation **25 minutes**
  + refroidissement
Cuisson **25 minutes**

50 g de **marshmallows**
125 g de **beurre demi-sel**
  en pommade
100 g de **sucre en poudre**
2 **œufs**
150 g de **farine à levure**
  incorporée
½ c. à c. de **levure**
1 c. à c. d'**extrait de vanille**

Garniture
75 g de **marshmallows**
  + quelques petits
  morceaux pour décorer
300 ml de **crème fraîche**

Garnissez un moule à muffins de 12 alvéoles
de caissettes en papier. Avec des ciseaux de cuisine,
coupez les marshmallows en morceaux.

Fouettez les autres ingrédients avec un fouet
électrique pendant 1 minute. Ajoutez les morceaux de
marshmallows puis répartissez la pâte dans les caissettes.

Faites cuire 20 minutes dans un four préchauffé
à 180 °C. Laissez refroidir sur une grille.

Coupez les 75 g de marshmallows de la garniture en
petits morceaux. Mettez environ un tiers des morceaux
dans une petite casserole avec la moitié de la crème
fraîche. Faites fondre à feu très doux. Versez le mélange
dans un bol et laissez refroidir.

Fouettez la crème fraîche restante dans un bol jusqu'à
ce que des pointes souples se forment. Incorporez-lui
la crème aux marshmallows puis nappez les cupcakes
de ce mélange. Décorez de marshmallows.

Pour des cupcakes à la noix de coco, préparez
la pâte comme ci-dessus, en ajoutant 100 g de noix
de coco séchée aux ingrédients et en supprimant
les marshmallows. Faites cuire comme ci-dessus.
Fouettez 200 ml de crème fraîche et 1 cuillerée à soupe
de sucre glace jusqu'à ce que des pointes souples
se forment. Nappez les cupcakes avec ce mélange
et parsemez de noix de coco râpée.

cupcakes à la polenta et aux prunes

Pour **9 cupcakes**
Préparation **20 minutes**
+ refroidissement
Cuisson **20 à 25 minutes**

huile d'olive douce
ou **huile végétale**
pour le moule
150 g de **polenta**
100 g de **sucre en poudre**
1 c. à c. de **levure**
75 g de **poudre d'amandes**
½ c. à c. d'**extrait
d'amande**
75 ml de **crème fraîche**
ou de **crème aigre**
3 c. à s. d'**huile d'olive
douce** ou d'**huile
végétale**
le **zeste** finement râpé
de 1 **citron**
+ 4 c. à c. de **jus**
2 **œufs**
2 **prunes** fraîches,
dénoyautées et coupées
en minces quartiers
2 c. à s. de **miel** liquide

Huilez légèrement 9 alvéoles d'un moule à muffins antiadhésif de 12 alvéoles. Dans un saladier, mélangez la polenta, le sucre, la levure et la poudre d'amandes.

Dans un bol à part, fouettez l'extrait d'amande, la crème, l'huile, le zeste de citron et les œufs. Versez cette préparation dans le saladier et remuez l'ensemble jusqu'à l'obtention d'une pâte épaisse. Répartissez la pâte dans les alvéoles huilées. Disposez 2 morceaux de prune sur chaque cupcake.

Faites cuire 20 à 25 minutes dans un four préchauffé à 180 °C. Laissez reposer 5 minutes dans le moule puis détachez les bords des gâteaux avec un couteau et posez-les sur une grille.

Percez le dessus avec une pointe. Mélangez le jus de citron et le miel, et versez sur les cupcakes.

Pour des cupcakes à l'ananas et à la noix de coco,

mixez 100 g de sucre en poudre dans un robot avec 75 g de noix de coco séchée. Versez ce mélange dans le saladier, avec la polenta et la levure (supprimez la poudre d'amandes). Continuez comme ci-dessus, mais remplacez le zeste de citron par du zeste de citron vert. Répartissez cette pâte dans les 12 alvéoles d'un moule à muffins. Décorez les cupcakes avec de fines tranches de chair d'ananas (à la place des prunes). Après cuisson, percez le dessus des petits gâteaux avec une pointe. Mélangez 4 cuillerées à café de jus de citron vert avec 2 cuillerées à soupe de miel liquide et versez ce mélange sur les cupcakes encore chauds.

cupcakes aux raisins secs

Pour **12 cupcakes**
Préparation **10 minutes**
  + repos
Cuisson **20 minutes**

40 g de **beurre demi-sel**
  coupé en dés
75 g de **flocons de son**
  de blé
225 ml de **lait**
100 g de **sirop d'agave** ou
  de **sucre de canne blond**
125 g de **raisins secs**
125 g de **farine à levure**
  incorporée
½ c. à c. de **levure**

Garnissez un moule à muffins de 12 alvéoles
de caissettes en papier. Mettez le beurre et les flocons
de son dans un récipient résistant à la chaleur.

Faites chauffer le lait dans une casserole. Quand
il est sur le point de bouillir, versez-le dans le récipient.
Laissez reposer 10 à 15 minutes jusqu'à ce que les
flocons de son soient bien moelleux et que le mélange
ait légèrement refroidi. Ajoutez ensuite le sirop d'agave
(ou le sucre) et les raisins secs.

Tamisez la farine et la levure au-dessus du récipient.
Mélangez. Répartissez la pâte dans les caissettes.

Faites cuire 20 minutes dans un four préchauffé
à 180 °C jusqu'à ce que les petits gâteaux aient
légèrement gonflé et qu'ils soient juste fermes
au toucher. Laissez refroidir sur une grille.

Pour préparer un beurre crémeux à la cannelle
que vous pourrez servir avec ces cupcakes, fouettez
100 g de beurre demi-sel ramolli avec 50 g de sucre
glace jusqu'à l'obtention d'un mélange léger. Mélangez
½ cuillerée à café de cannelle en poudre et 2 cuillerées
à café d'eau bouillante. Ajoutez ce mélange à la première
préparation et fouettez jusqu'à l'obtention d'un
mélange homogène. Présentez ce beurre dans un bol
ou tartinez-en les cupcakes.

cupcakes au citron et au pavot

Pour **12 cupcakes**
Préparation **20 minutes**
+ refroidissement
Cuisson environ **1 heure**

2 **citrons** non traités
100 g de **noisettes**
en poudre
50 g de **farine d'épeautre**
1 c. à c. de **levure**
2 c. à s. de **graines de pavot**
3 **œufs**
5 c. à s. de **sirop d'agave**
+ un filet
50 g de **beurre demi-sel**
fondu
50 g de **raisins secs blonds**

Garnissez un moule à muffins de 12 alvéoles de caissettes en papier. Coupez 1 citron en 12 tranches fines. Dans une casserole, recouvrez les tranches et le citron entier d'eau bouillante. Laissez frémir 20 à 30 minutes à feu très doux. Égouttez les tranches et réservez-les. Faites cuire le citron entier 15 minutes de plus. Égouttez et laissez refroidir. Ensuite, coupez-le en deux et ôtez les pépins. Réduisez-le en purée dans un robot.

Mélangez les noisettes en poudre avec la farine d'épeautre, la levure et les graines de pavot dans un saladier. Dans un récipient à part, mélangez les œufs avec la purée de citron, le sirop d'agave et le beurre fondu. Versez cette préparation dans le saladier avec les raisins secs puis remuez. Répartissez la pâte dans les caissettes en papier et posez 1 tranche de citron sur chaque cupcake. Arrosez d'un filet de sirop d'agave. Faites cuire 20 minutes dans un four préchauffé à 180 °C. Laissez refroidir sur une grille.

Pour des cupcakes aux noix du Brésil et à l'orange, faites cuire 1 petite orange comme ci-dessus. Égouttez et réduisez en purée dans un robot avec les œufs, le beurre fondu, le sirop d'agave et les raisins secs. Hachez puis broyez 100 g de noix du Brésil. Mélangez les noix en poudre avec la farine, la levure et ½ cuillerée à café de poivre de la Jamaïque (supprimez le pavot). Mélangez les deux préparations et faites cuire comme ci-dessus, après avoir posé 1 noix du Brésil entière sur chaque gâteau.

cupcakes au gingembre

Pour **18 cupcakes**
Préparation **20 minutes**
  + refroidissement
Cuisson **30 minutes**

225 g de **farine ordinaire**
2 c. à c. de **gingembre en poudre**
1 c. à c. de **levure**
½ c. à c. de **bicarbonate de soude**
75 g de **beurre demi-sel** coupé en dés
100 g de **sucre de canne bond**
150 g de **mélasse noire** + un filet pour décorer
150 ml de **lait**
1 **œuf** battu
100 g de **fruits secs** mélangés (**raisins, abricots**…)
150 g de **sucre glace**
3 ou 4 c. à c. d'**eau**

Garnissez de caissettes en papier 18 alvéoles de 2 moules à muffins de 12 alvéoles. Mettez la farine, le gingembre, la levure et le bicarbonate de soude dans un saladier.

Mettez le beurre dans une petite casserole avec le sucre de canne et la mélasse. Faites chauffer jusqu'à ce que le beurre soit fondu et que le sucre soit dissous. Hors du feu, incorporez le lait puis l'œuf. Versez ce mélange dans le saladier, ajoutez les fruits secs. Remuez soigneusement. Répartissez la pâte dans les caissettes.

Faites cuire 25 minutes dans un four préchauffé à 160 °C jusqu'à ce que les petits gâteaux soient gonflés et juste fermes au toucher. Laissez refroidir sur une grille.

Mélangez le sucre glace et l'eau jusqu'à l'obtention d'un glaçage épais. Arrosez-en les cupcakes et finissez avec un mince filet de mélasse.

Pour des petits cupcakes aux fruits, préparez la pâte comme ci-dessus, en remplaçant 50 g de farine par 50 g de flocons d'avoine. Remplacez également la moitié des fruits secs par 50 g de dattes sèches dénoyautées, de figues ou de pruneaux, hachés grossièrement. Répartissez la pâte dans les caissettes puis parsemez les petits gâteaux de flocons d'avoine avant de les cuire comme ci-dessus. Supprimez le glaçage.

cupcakes aux fruits secs

Pour **12 cupcakes**
Préparation **10 minutes**
+ refroidissement
Cuisson **15 minutes**

beurre pour le moule
(facultatif)
65 g de **flocons d'avoine**
100 g de **noix de pécan**
ou de **noix**, hachées
grossièrement
100 g d'**amandes
mondées**, hachées
grossièrement
50 g d'**amandes effilées**
50 g de **poudre d'amandes**
150 g de **dattes sèches**
dénoyautées, hachées
grossièrement
50 g de **raisins secs**
75 ml de **sirop d'agave**

Garnissez un moule à muffins de 12 alvéoles
de caissettes en papier ou beurrez légèrement les
alvéoles. Faites légèrement griller les flocons d'avoine
dans une poêle, à sec et à feu doux. Mélangez-les
dans un saladier avec les autres ingrédients, à l'exception
du sirop d'agave.

Ajoutez le sirop d'agave à la fin et remuez soigneusement
jusqu'à ce que les ingrédients commencent à se lier
(n'hésitez pas à utiliser les mains). Répartissez la pâte
dans les caissettes. Pressez légèrement.

Faites cuire 15 minutes dans un four préchauffé
à 200 °C. Laissez refroidir sur une grille.

Pour des cupcakes aux épices, aux abricots
et aux noisettes, préparez la pâte comme ci-dessus,
mais remplacez les noix de pécan (ou les noix) et les
dattes par 100 g de noisettes et 150 g d'abricots secs
hachés. Ajoutez également ½ cuillerée à café de quatre-
épices en poudre et ½ cuillerée à café de cannelle
moulue. Faites cuire comme ci-dessus.

cupcakes
au chocolat

cupcakes et crème au chocolat

Pour **12 cupcakes**
Préparation **20 minutes**
  + refroidissement
Cuisson **20 minutes**

125 g de **beurre demi-sel**
  en pommade
150 g de **sucre de canne
  blond**
2 **œufs**
100 g de **farine à levure
  incorporée**
50 g de **cacao en poudre**
½ c. à c. de **levure**
1 portion de **crème au
  chocolat** (page 18)

Garnissez un moule à muffins de 12 alvéoles
de caissettes en papier. Mettez le beurre, le sucre,
les œufs, la farine, le cacao et la levure dans un saladier.
Fouettez pendant environ 1 minute avec un fouet
électrique jusqu'à l'obtention d'une crème légère.
Répartissez la pâte dans les caissettes en papier.

Faites cuire 20 minutes dans un four préchauffé
à 180 °C jusqu'à ce que les petits gâteaux soient
gonflés et juste fermes au toucher. Laissez refroidir
sur une grille.

Étalez la crème au chocolat encore chaude sur
les cupcakes.

Pour des cupcakes et crème au chocolat blanc,
préparez et faites cuire les cupcakes comme ci-dessus.
Préparez une portion de crème au chocolat blanc
(page 18) et nappez-en les cupcakes.

croquants au chocolat

Pour **10 cupcakes**
Préparation **10 minutes**
 + temps de prise

150 g de **biscuits sablés
 au beurre**
50 g de **chocolat blanc**
 haché
50 g de **chocolat au lait**
 haché
250 g de **chocolat noir**
 haché
2 c. à s. de **lait**
75 g de **beurre demi-sel**
1 c. à s. de **golden syrup**
copeaux de chocolat
 pour décorer (facultatif)

Garnissez de caissettes en papier 10 alvéoles d'un
moule à muffins de 12 alvéoles. Mettez les biscuits
sablés dans un sachet en plastique. Écrasez les sablés
avec un rouleau à pâtisserie.

Mélangez les biscuits écrasés avec le chocolat blanc
et le chocolat au lait, dans un bol.

Mettez le chocolat noir dans un récipient résistant
à la chaleur avec le lait, le beurre et le golden syrup.
Posez le récipient au-dessus d'une casserole d'eau
à peine frémissante et faites fondre en remuant
fréquemment jusqu'à ce que le mélange soit lisse.
Laissez refroidir sans laisser figer.

Incorporez les biscuits écrasés et le chocolat haché
dans le chocolat fondu. Répartissez la pâte dans les
caissettes et laissez prendre. Décorez éventuellement
avec des copeaux de chocolat et glissez les caissettes
dans des petits ramequins avant de servir.

Pour des cupcakes aux fruits secs, faites fondre
le chocolat noir avec le lait, le beurre et le golden syrup
comme ci-dessus. Parsemez le mélange de 40 g de
gingembre confit haché finement et laissez refroidir sans
laisser figer le chocolat. Ajoutez 100 g de noix hachées,
75 g de dattes séchées dénoyautées et hachées,
et 50 g de raisins secs. Mélangez délicatement puis
répartissez la pâte dans les caissettes et laissez prendre.

cheese-cakes au chocolat

Pour **6 cupcakes**
Préparation **25 minutes**
+ refroidissement
Cuisson **25 minutes**

100 g de **biscuits sablés**
1 c. à c. de **gingembre
en poudre**
40 g de **beurre demi-sel**
fondu
200 g de **fromage frais**
allégé
75 g de **sucre de canne
blond**
1 **œuf**
100 g de **chocolat noir**
haché
2 c. à s. de **cognac**
ou de **liqueur à l'orange**
1 c. à s. d'**eau**
150 ml de **crème fraîche**
copeaux ou **éclats
de chocolat** pour décorer

Broyez les biscuits dans un robot. Mélangez-les avec le gingembre et le beurre fondu. Répartissez la préparation dans 6 caissettes en papier. Pressez fermement avec le dos d'une petite cuillère. Glissez les caissettes dans les alvéoles d'un moule à muffins.

Fouettez le fromage frais, le sucre et l'œuf dans un saladier. Mettez le chocolat, le cognac et l'eau dans un récipient résistant à la chaleur. Posez-le sur une casserole d'eau à peine frémissante et faites fondre le chocolat en remuant. Versez le chocolat fondu dans le saladier et remuez. Répartissez dans les caissettes.

Faites cuire 20 minutes dans un four préchauffé à 160 °C jusqu'à ce que le dessus soit légèrement pris (les cheese-cakes se raffermiront en refroidissant). Laissez refroidir dans le moule.

Fouettez la crème fraîche dans un bol. Détachez les caissettes en papier et posez une cuillerée de crème fouettée sur chaque cheese-cake. Décorez avec des copeaux ou des éclats de chocolat.

Pour des cheese-cakes au chocolat blanc, préparez le fond biscuité en supprimant le gingembre puis tassez-le dans les caissettes en papier. Poursuivez comme ci-dessus, en réduisant la quantité de sucre à 50 g et en remplaçant le chocolat noir par 100 g de chocolat blanc haché. Lorsque les cheese-cakes sont froids, nappez-les de crème fraîche fouettée et décorez-les de petits morceaux de biscuits au miel et au chocolat.

petits gâteaux au chocolat blanc

Pour **18 cupcakes**
Préparation **25 minutes**
  + refroidissement
Cuisson **25 minutes**

150 g de **beurre demi-sel**
  en pommade
150 g de **sucre en poudre**
175 g de **farine à levure**
  incorporée
3 **œufs**
1 c. à c. d'**extrait de vanille**
50 g de **pépites**
  de chocolat blanc
100 g de **chocolat blanc**
1 portion de **crème au**
  chocolat blanc (page 18)
sucre glace pour décorer

Garnissez de caissettes en papier 18 alvéoles
de 2 moules à muffins de 12 alvéoles. Mettez le beurre,
le sucre, la farine, les œufs et l'extrait de vanille dans
un saladier. Fouettez avec un fouet électrique
1 à 2 minutes. Ajoutez les pépites de chocolat.
Répartissez la pâte dans les caissettes.

Faites cuire 20 minutes dans un four préchauffé à 180 °C.
Laissez refroidir les petits gâteaux sur une grille.

Réalisez des copeaux de chocolat en raclant la
tablette de chocolat blanc avec un épluche-légumes.
Si le chocolat est trop froid et que les copeaux sont
trop petits, essayez de le ramollir quelques secondes
au micro-ondes, en le surveillant de près pour qu'il ne
fonde pas complètement. Placez les copeaux dans un
endroit frais pendant que vous garnissez les cupcakes.

Étalez la crème au chocolat blanc sur les cupcakes
avec une petite palette. Répartissez les copeaux de
chocolat sur la crème et finissez en saupoudrant
de sucre glace.

Pour des cupcakes chocolat-coco, préparez et
faites cuire la pâte comme ci-dessus. Laissez refroidir.
Faites fondre 175 g de chocolat blanc (pages 16-17).
Versez un tiers du chocolat fondu dans un petit bol.
Incorporez 75 g de noix de coco râpée au chocolat
fondu restant. Étalez d'abord une fine couche de
chocolat fondu sur les petits gâteaux puis nappez
le tout de chocolat à la noix de coco. Laissez prendre.

cupcakes chocolat-orange

Pour **12 cupcakes**
Préparation **20 minutes**
  + refroidissement
Cuisson **25 minutes**

125 g de **beurre demi-sel**
  en pommade
125 g de **sucre en poudre**
2 **œufs**
125 g de **farine à levure**
  incorporée
25 g de **cacao en poudre**
½ c. à c. de **levure**
le **zeste** finement râpé
  de 1 **orange**
lamelles d'écorce
  d'orange confite
  pour décorer (facultatif)

Garniture
100 g de **chocolat noir**
  haché
100 de **beurre doux**
  en pommade
125 g de **sucre glace**
2 c. à s. de **cacao**
  en poudre

Garnissez un moule à muffins de 12 alvéoles de caissettes en papier. Mettez le beurre salé, le sucre, les œufs, la farine, le cacao en poudre, la levure et le zeste d'orange dans un saladier. Fouettez avec un fouet électrique pendant environ 1 minute jusqu'à obtention d'une crème légère. Répartissez la pâte dans les caissettes en papier.

Faites cuire 20 minutes dans un four préchauffé à 180 °C jusqu'à ce que les petits gâteaux soient gonflés et juste fermes au toucher. Laissez refroidir sur une grille.

Faites fondre le chocolat pour la garniture (pages 16-17) et laissez refroidir. Fouettez le beurre doux, le sucre glace et le cacao en poudre jusqu'à l'obtention d'un mélange lisse et crémeux. Incorporez le chocolat fondu. Déposez des rosettes de cette préparation sur les cupcakes avec une poche à douille. Décorez avec des morceaux d'écorce d'orange confite.

Pour des cupcakes au chocolat et aux pruneaux,
coupez 75 g de pruneaux dénoyautés en petits morceaux et mettez-les dans un bol avec 2 cuillerées à café de cognac. Laissez imbiber 30 minutes. Préparez la pâte comme ci-dessus, en incorporant le cognac non absorbé (s'il en reste), puis répartissez la pâte dans les caissettes. Posez les pruneaux hachés sur la pâte et faites cuire comme ci-dessus. Quand les cupcakes sont froids, décorez-les de 25 g de chocolat fondu.

cupcakes chocolat et cacahuètes

Pour **12 cupcakes**
Préparation **25 minutes**
 + refroidissement
 et temps de prise
Cuisson **30 minutes**

150 g de **beurre demi-sel**
 en pommade
250 g de **sucre en poudre**
3 **œufs**
150 g de **farine à levure**
 incorporée
25 g de **cacao en poudre**
½ c. à c. de **levure**
3 c. à s. d'**eau**
75 ml de **crème fraîche**
25 g de **beurre doux**
50 g de **cacahuètes** salées,
 hachées
100 g de **chocolat noir**
 haché
1 c. à s. de **golden syrup**

Garnissez un moule à muffins de 12 alvéoles
de caissettes en papier. Dans un saladier, fouettez
le beurre, 150 g de sucre, les œufs, la farine, le cacao
en poudre et la levure 1 minute avec un fouet électrique.
Répartissez la pâte dans les caissettes.

Faites cuire 20 minutes dans un four préchauffé
à 180 °C. Laissez les gâteaux refroidir sur une grille.

Faites dissoudre le reste de sucre avec l'eau dans
une petite casserole, à feu doux. Portez à ébullition
et maintenez l'ébullition 4 à 5 minutes. Trempez le fond
de la casserole dans de l'eau froide.

Versez 50 ml de crème fraîche dans le sirop ainsi
que le beurre doux. Faites chauffer à feu très doux,
en remuant, jusqu'à obtenir un caramel. Ajoutez les
cacahuètes et laissez refroidir, sans laisser figer.
Étalez sur les cupcakes.

Faites fondre le chocolat avec le reste de crème
fraîche et le golden syrup dans une petite casserole.
Répartissez sur les cupcakes et laissez prendre.

Pour des cupcakes chocolat-orange, préparez la pâte,
en ajoutant le zeste râpé de ½ orange. Faites cuire
et laissez refroidir. Faites chauffer 5 cuillerées à soupe
de marmelade d'oranges et 1 cuillerée à café d'eau
dans une petite casserole. Quand la marmelade est
fluide, laissez-la refroidir et étalez-la sur les cupcakes.
Faites fondre 100 g de chocolat noir (pages 16-17)
et versez-le sur la marmelade. Laissez prendre.

cupcakes aux trois chocolats

Pour **12 cupcakes**
Préparation **30 minutes**
  + refroidissement
  et temps de prise
Cuisson **25 minutes**

100 g de **chocolat blanc**
  haché
100 g de **chocolat au lait**
  haché
100 g de **chocolat noir**
  haché
40 g de **beurre doux**
12 **cupcakes au chocolat**
  (page 22)
cacao en poudre pour
  décorer

Mettez le chocolat blanc, le chocolat au lait
et le chocolat noir dans 3 bols résistant à la chaleur
ou au micro-ondes. Ajoutez un tiers du beurre dans
chaque bol. Faites fondre les trois chocolats au micro-
ondes ou au bain-marie.

Étalez le chocolat blanc fondu sur 4 cupcakes,
avec une petite palette, puis saupoudrez de cacao.

Mettez 2 cuillerées à soupe de chocolat au lait fondu
et de chocolat noir fondu dans 2 poches distinctes,
munies de douilles à écriture. Étalez le chocolat au lait
sur 4 autres cupcakes puis décorez avec des points
de chocolat noir.

Étalez le chocolat noir fondu sur les 4 cupcakes restants
puis décorez avec des traits de chocolat au lait. Laissez
prendre.

Pour des cupcakes aux deux chocolats, préparez
et faites cuire les cupcakes au chocolat (page 22,
variante), mais parsemez-les de 75 g de chocolat
au lait haché avant de les glisser dans le four. Quand
les cupcakes sont cuits, laissez-les refroidir. Fouettez
200 ml de crème fraîche et 1 cuillerée à soupe de sucre
glace. Mettez cette préparation dans une poche munie
d'une grande douille étoilée. Déposez un tourbillon
de crème fouettée sur chaque cupcake en laissant
un petit puits au centre. Faites fondre 75 g de chocolat
noir avec 15 g de beurre et 1 cuillerée à soupe de golden
syrup. Versez ce mélange au centre de chaque tourbillon.

cupcakes chocolat blanc-menthe

Pour **12 cupcakes**
Préparation **20 minutes**
  + refroidissement
Cuisson **20 minutes**

8 g de feuilles de **menthe**
100 g de **sucre en poudre**
125 g de **beurre demi-sel**
  en pommade
2 **œufs**
150 g de **farine à levure**
  incorporée
½ c. à c. de **levure**
175 g de **chocolat blanc**
  haché
sucre glace pour décorer

Garnissez un moule à muffins de 12 alvéoles de caissettes en papier. Mettez les feuilles de menthe dans un récipient résistant à la chaleur, recouvrez d'eau bouillante et laissez reposer 30 secondes. Égouttez et épongez la menthe sur du papier absorbant. Mettez les feuilles dans un robot avec le sucre puis hachez finement.

Transvasez le contenu du robot dans un saladier. Ajoutez le beurre, les œufs, la farine et la levure. Fouettez pendant environ 1 minute avec un fouet électrique.

Incorporez 100 g de chocolat puis répartissez la pâte dans les caissettes. Parsemez les cupcakes avec le reste de chocolat.

Faites cuire 20 minutes dans un four préchauffé à 180 °C. Laissez refroidir sur une grille. Saupoudrez légèrement de sucre glace.

Pour des petits gâteaux au chocolat blanc et à la cardamome, préparez la pâte comme ci-dessus, en supprimant la menthe et en fouettant le sucre en même temps que les autres ingrédients. Ajoutez les graines broyées de 10 gousses de cardamome. Faites cuire comme ci-dessus et laissez refroidir. Faites chauffer 150 ml de crème fraîche dans une petite casserole. Aux premiers frémissements, retirez la casserole du feu et incorporez 150 g de chocolat blanc haché. Remuez jusqu'à ce que le chocolat soit fondu puis versez la préparation dans un bol et laissez-la tiédir. Lorsque le mélange est onctueux, nappez-en les cupcakes.

cupcakes au chocolat et à la fraise

Pour **12 cupcakes**
Préparation **30 minutes**
  + refroidissement
Cuisson **30 minutes**

75 g de **cacao en poudre**
225 ml d'**eau bouillante**
125 g de **beurre demi-sel**
  en pommade
275 g de **sucre de canne
  blond**
2 **œufs**
200 g de **farine ordinaire**
1 c. à c. de **levure**
crème fouettée pour servir
  (facultatif)

Pour décorer
150 ml de **crème fraîche**
4 c. à s. de **sucre glace**
4 c. à s. d'**eau**
275 g de **chocolat noir**
  haché
12 **fraises** fraîches

Garnissez un moule à muffins de 12 alvéoles
de caissettes en papier. Diluez le cacao dans l'eau
bouillante dans un bol. Laissez refroidir.

Fouettez le beurre et le sucre dans un saladier.
Incorporez progressivement les œufs. Tamisez la farine
et la levure au-dessus du saladier. Ajoutez le cacao
dilué, remuez puis répartissez la pâte dans les
caissettes.

Faites cuire 25 minutes dans un four préchauffé
à 180 °C. Laissez reposer 10 minutes dans le moule
puis démoulez les cupcakes sur une grille.

Faites chauffer la crème fraîche, le sucre glace
et l'eau dans une petite casserole. Aux premiers
bouillons, retirez la casserole du feu et incorporez
200 g de chocolat noir haché. Laissez refroidir en
remuant jusqu'à l'obtention d'un mélange lisse.

Détachez les caissettes en papier et étalez la crème
au chocolat sur les cupcakes.

Faites fondre le reste de chocolat (pages 16-17).
Trempez-y les fraises à moitié et posez-les sur
les cupcakes. Accompagnez de crème fouettée.

petits brownies chauds au chocolat

Pour **12 brownies**
Préparation **10 minutes**
  + repos
Cuisson **12 minutes**

100 g de **chocolat au lait**
100 g de **noix de pécan**
  ou de **noix**
200 g de **chocolat noir**
  haché
150 g de **beurre demi-sel**
3 **œufs**
200 g de **sucre de canne
  blond**
125 g de **farine à levure
  incorporée**
½ c. à c. de **levure**
cacao en poudre
  pour décorer
glace à la vanille pour servir

Garnissez un moule à muffins de 12 alvéoles
de caissettes en papier. Cassez le chocolat au lait
et les noix de pécan en petits morceaux.

Faites fondre le chocolat noir et le beurre (pages 16-17),
en remuant, jusqu'à l'obtention d'un mélange lisse.

Fouettez les œufs et le sucre dans un saladier, puis
ajoutez le chocolat fondu et le beurre. Tamisez la farine
et la levure au-dessus du saladier et remuez délicatement.
Ajoutez le chocolat au lait et les noix, puis répartissez
la pâte dans les caissettes.

Faites cuire 12 minutes dans un four préchauffé
à 190 °C jusqu'à ce qu'une croûte se soit formée
mais que la pâte en dessous soit encore bien fondante.
Laissez reposer 10 minutes dans le moule.

Posez les brownies sur les assiettes, surmontés
d'une petite boule de glace à la vanille et saupoudrés
de cacao en poudre (facultatif).

Pour une version blonde, cassez 200 g de chocolat
blanc en petits morceaux. Faites fondre 100 g de
chocolat blanc haché dans une petite casserole avec
75 g de beurre. Dans un saladier, fouettez 3 œufs et
100 g de sucre en poudre. Ajoutez le chocolat fondu.
Tamisez 125 g de farine à levure incorporée au-dessus
du saladier. Remuez délicatement, en ajoutant 100 g
d'amandes mondées et hachées, ainsi que le chocolat
blanc en morceaux. Répartissez la pâte dans les
caissettes et faites cuire comme ci-dessus.

cupcakes au chocolat et au caramel

Pour **12 cupcakes**
Préparation **25 minutes**
+ refroidissement
et temps de prise
Cuisson **30 minutes**

200 g de **lait concentré sucré** en boîte
50 g de **sucre en poudre**
65 g de **beurre doux**
2 c. à s. de **golden syrup**
12 **cupcakes à la vanille** (page 22)
100 g de **chocolat noir** haché
100 g de **chocolat au lait** haché

Mettez le lait concentré, le sucre, le beurre et le golden syrup dans une casserole de taille moyenne, à fond épais, et faites chauffer à feu doux, en remuant, jusqu'à ce que le sucre soit dissous. Faites cuire environ 5 minutes, en remuant, jusqu'à ce que le mélange soit d'un beau blond caramel.

Laissez refroidir 2 minutes, puis versez le caramel sur les cupcakes refroidis.

Faites fondre le chocolat noir et le chocolat au lait séparément (pages 16-17). Versez quelques cuillerées à café des deux chocolats sur les cupcakes. Tapotez les petits gâteaux pour uniformiser la couche de chocolat puis, avec une pointe, tournez dans le chocolat pour obtenir un léger effet marbré.

Répétez l'opération avec les cupcakes restants. Laissez le chocolat prendre avant de servir.

Pour des cupcakes au chocolat et à la menthe, mélangez 200 g de sucre glace, 1 cuillerée à café d'extrait naturel de menthe et 1 ou 2 cuillerées à café d'eau dans un bol jusqu'à l'obtention d'un mélange lisse et onctueux. Étalez ce glaçage sur les cupcakes refroidis, avec une palette, et laissez prendre légèrement. Faites fondre 100 g de chocolat noir puis nappez-en les cupcakes.

90

cupcakes chocolat-fruits secs

Pour **8 cupcakes**
Préparation **15 minutes**
+ refroidissement
Cuisson **35 minutes**

65 g de **beurre demi-sel**
en pommade
65 g de **sucre de canne blond**
1 **œuf**
65 g de **farine ordinaire**
15 g de **cacao en poudre**
1 c. à c. de **quatre-épices en poudre**
50 g de **fruits à coque** hachés (**noisettes, amandes, noix**…)
100 g de **chocolat au lait** haché
25 g de **gingembre confit** haché
100 g de **fruits secs** mélangés (**abricots, figues, raisin**…)
cassonade pour décorer

Garnissez de caissettes en papier 8 alvéoles d'un moule à muffins de 12 alvéoles. Fouettez le beurre et le sucre avec un fouet électrique. Incorporez l'œuf, puis la farine, le cacao et le quatre-épices tamisés.

Réservez 2 cuillerées à soupe de fruits à coque hachés et 2 cuillerées à soupe de chocolat au lait haché. Incorporez les fruits secs et le chocolat restants dans la pâte, avec le gingembre et les fruits secs.

Répartissez la pâte dans les caissettes. Parsemez les cupcakes avec les 2 cuillerées à soupe de fruits secs et de chocolat hachés. Saupoudrez d'un peu de cassonade. Faites cuire 35 minutes dans un four préchauffé à 150 °C. Laissez refroidir sur une grille. Présentez ces petits gâteaux dans du papier décoratif.

Pour des cupcakes au chocolat blanc et à l'abricot,
préparez la pâte, en remplaçant le cacao en poudre par 15 g de farine ordinaire, et le quatre-épices par 1 cuillerée à café d'extrait de vanille. Remplacez les fruits secs par 50 g d'amandes mondées hachées et le chocolat au lait par 100 g de chocolat blanc haché. Réservez 2 cuillerées à soupe d'amandes et 2 cuillerées à soupe de chocolat blanc, et incorporez le reste à la pâte avec 100 g d'abricots secs hachés (au lieu du mélange de fruits secs). Supprimez le gingembre confit. Répartissez la pâte dans les caissettes. Parsemez les cupcakes avec les 2 cuillerées à soupe d'abricots et de chocolat hachés. Saupoudrez de cassonade et faites cuire comme ci-dessus.

cupcakes au café

Pour **12 cupcakes**
Préparation **15 minutes**
+ refroidissement
et temps de prise
Cuisson **30 minutes**

250 g de **sucre en poudre**
250 ml d'**eau**
125 g de **beurre demi-sel**
2 c. à s. de **cacao**
en poudre tamisé
½ c. à c. de **bicarbonate**
de soude
2 c. à s. de **café lyophilisé**
225 g de **farine à levure**
incorporée
2 **œufs** battus légèrement

Garniture
150 g de **chocolat noir**
coupé en morceaux
150 g de **beurre doux**
coupé en dés
2 c. à s. de **golden syrup**
12 **grains de café enrobés**
de chocolat pour décorer

Garnissez un moule à muffins de 12 alvéoles
de caissettes en papier ou en aluminium. Faites dissoudre
le sucre dans l'eau dans une casserole à feu doux.
Ajoutez le beurre, le cacao, le bicarbonate et le café
soluble. Portez à ébullition. Réduisez le feu et laissez
mijoter 5 minutes. Retirez la casserole du feu et laissez
refroidir.

Versez la farine et les œufs dans la casserole et fouettez
jusqu'à l'obtention d'un mélange lisse. Répartissez la
pâte dans les caissettes. Faites cuire 20 minutes dans
un four préchauffé à 180 °C. Laissez refroidir sur
une grille.

Mettez le chocolat, le beurre doux et le golden syrup
dans un récipient résistant à la chaleur. Posez celui-ci
au-dessus d'une casserole d'eau à peine frémissante,
et faites chauffer jusqu'à ce que le chocolat et le beurre
soient fondus, en remuant fréquemment. Laissez refroidir
à température ambiante puis placez au réfrigérateur
jusqu'à épaississement.

Répartissez la crème sur les petits gâteaux, décorez
avec les grains de café et laissez prendre.

Pour des cupcakes chocolat-rhum-raisins secs,
faites gonfler 50 g de raisins secs dans 2 cuillerées
à soupe de rhum pendant 1 heure. Préparez la pâte
en supprimant le café lyophilisé et en ajoutant les raisins
imbibés et le rhum non absorbé, en même temps que
les œufs. Faites cuire, garnissez et décorez comme
ci-dessus.

cupcakes chocolat-framboise

Pour **10 cupcakes**
Préparation **20 minutes**
  + refroidissement
Cuisson **20 minutes**

100 g de **beurre demi-sel**
75 g de **chocolat noir**
  à température ambiante
100 g de **poudre**
  d'amandes
125 g de **sucre roux**
40 g de **farine ordinaire**
3 **blancs d'œufs**
150 g de **framboises**
  fraîches
sucre glace pour décorer
  (facultatif)

Garnissez de caissettes en papier 10 alvéoles
d'un moule à muffins de 12 alvéoles. Faites fondre
le beurre dans une petite casserole et laissez refroidir.
Râpez grossièrement le chocolat.

Mélangez la poudre d'amandes, 75 g de sucre roux
et la farine dans un grand saladier. Ajoutez le beurre
fondu et le chocolat râpé. Remuez.

Montez les blancs d'œufs en neige souple dans
un récipient parfaitement propre. Incorporez-leur
progressivement le reste de sucre en poudre. Avec
une grande cuillère en métal, incorporez la moitié
des blancs d'œufs à la préparation au chocolat pour
l'assouplir. Incorporez le reste de blancs en neige.

Répartissez la pâte dans les caissettes en papier.
Parsemez de framboises.

Faites cuire 15 minutes dans un four préchauffé
à 200 °C jusqu'à ce que les petits gâteaux soient
dorés et juste fermes au toucher. Laissez refroidir sur
une grille. Saupoudrez de sucre glace avant de servir.

Pour des cupcakes au chocolat blanc et aux myrtilles,
préparez la pâte en remplaçant le chocolat noir par
75 g de chocolat blanc. Répartissez la pâte dans les
caissettes en papier puis remplacez les framboises
par 100 g de myrtilles fraîches. Faites cuire et laissez
refroidir. Parsemez les cupcakes de 75 g de myrtilles
fraîches et arrosez avec 50 g de chocolat blanc fondu
(pages 16-17).

petits cakes chocolat-ricotta

Pour **18 cupcakes**
Préparation **20 minutes**
 + refroidissement
Cuisson **20 minutes**

150 g de **beurre demi-sel**
 en pommade
150 g de **sucre en poudre**
3 **œufs**
150 g de **farine à levure
 incorporée**
25 g de **cacao en poudre**
 + 1 pincée pour décorer
½ c. à c. de **levure**

Crème à la ricotta
250 g de **ricotta**
2 c. à s. de **cognac**
75 g de **sucre glace**
4 c. à s. de **crème fraîche**
100 g de **chocolat noir**
 ou **au lait**, haché
50 g d'**amandes** effilées,
 hachées
50 g de **cerises confites**
 hachées

Garnissez de caissettes en papier 18 alvéoles de 2 moules à muffins de 12 alvéoles. Fouettez dans un saladier le beurre, le sucre, les œufs, la farine, le cacao et la levure 1 minute avec un fouet électrique. Répartissez la pâte dans les caissettes en papier. Faites cuire 20 minutes dans un four préchauffé à 180 °C. Laissez refroidir sur une grille.

Fouettez la ricotta, le cognac, le sucre glace et la crème fraîche. Incorporez le chocolat, les amandes et les cerises.

Coupez une épaisse tranche dans la partie supérieure des petits gâteaux, en diagonale. Étalez la crème sur la partie tranchée. Remettez les « couvercles ». Servez ces petits gâteaux saupoudrés de cacao.

Pour des cupcakes « papillons » à la crème au chocolat, préparez les cupcakes. Faites chauffer 150 ml de crème fraîche dans une petite casserole. Lorsqu'elle est sur le point de bouillir, transvasez-la dans un récipient résistant à la chaleur et incorporez-lui 150 g de chocolat au lait ou noir et faites-le fondre en remuant. Quand la crème a refroidi, mettez-la dans une grande poche munie d'une douille étoilée. Avec un couteau, prélevez un disque de pâte au centre de chaque cupcake. Coupez les disques en deux. Répartissez la crème au chocolat dans les cavités. Positionnez les moitiés de disque dans la crème, en les inclinant à 45°, de manière à simuler les ailes d'un papillon. Saupoudrez de sucre glace.

cupcakes chocolat-noix

Pour **12 cupcakes**
Préparation **20 minutes**
+ refroidissement
Cuisson **20 minutes**

175 g de **beurre demi-sel**
en pommade
100 g de **sucre en poudre**
150 g de **farine à levure
incorporée**
3 **œufs**
100 g de **poudre d'amandes**
ou **de noisettes**
65 g de **noisettes**
non mondées, hachées
grossièrement et grillées
75 g de **chocolat blanc**
haché
75 g de **chocolat au lait**
haché

Garniture
250 g de **beurre doux**
en pommade
50 g de **sucre vanillé**
(pour du sucre vanillé
maison, voir ci-contre)
100 g de **sucre glace**
2 c. à c. de **jus de citron**

Garnissez un moule à muffins de 12 alvéoles
de caissettes en papier. Mettez le beurre salé, le sucre,
la farine, les œufs et la poudre d'amandes (ou de
noisettes) dans un saladier. Fouettez 1 à 2 minutes
avec un fouet électrique.

Réservez une poignée de noisettes concassées
grillées pour décorer. Ajoutez le reste à la pâte avec
le chocolat blanc et le chocolat au lait. Remuez puis
répartissez la pâte dans les caissettes.

Faites cuire 20 minutes dans un four préchauffé
à 180 °C. Laissez refroidir sur une grille.

Fouettez le beurre doux, le sucre vanillé, le sucre
glace et le jus de citron dans un bol jusqu'à l'obtention
d'un mélange léger. Étalez cette crème sur les gâteaux
avec une petite palette. Décorez de noisettes grillées.

Pour préparer du sucre vanillé maison, versez 500 g
de sucre en poudre dans un récipient hermétique. Fendez
2 gousses de vanille en deux dans la longueur, puis
coupez chaque moitié en deux. Enfoncez les morceaux
de gousses de vanille dans le sucre et refermez le
récipient. Attendez une semaine avant d'ouvrir. Conservez
le bocal dans un endroit frais, en le secouant souvent
pour disperser le parfum de vanille. Ce sucre se conserve
plusieurs mois. Vous pouvez de temps en temps
ajouter du sucre ou remettre des gousses fraîches
quand l'arôme s'estompe.

muffins chocolat blanc-sirop d'érable

Pour **8 muffins**
Préparation **10 minutes**
  + refroidissement
Cuisson **20 à 25 minutes**

300 g de **farine à levure
  incorporée**
1 c. à c. de **levure**
125 g de **sucre roux**
1 **œuf**
50 ml de **sirop d'érable**
250 ml de **lait**
50 g de **beurre demi-sel**
  fondu
125 g de **chocolat blanc**
  + un peu pour décorer
75 g de **noix de pécan**
  hachées grossièrement
  + un peu pour décorer

Garnissez de caissettes en papier 8 alvéoles d'un moule à muffins de 12 alvéoles. Tamisez la farine et la levure au-dessus d'un saladier. Ajoutez le sucre.

Fouettez l'œuf, le sirop d'érable, le lait et le beurre fondu, puis versez ce mélange dans le saladier. Remuez brièvement. Incorporez le chocolat et les noix de pécan.

Répartissez la pâte dans les caissettes en papier. Parsemez de noix de pécan et de chocolat blanc hachés.

Faites cuire 20 à 25 minutes dans un four préchauffé à 200 °C jusqu'à ce que les muffins soient gonflés et dorés. Laissez refroidir sur une grille.

Pour des muffins au chocolat noir et au gingembre, hachez finement 2 morceaux de gingembre confit. Préparez la pâte comme ci-dessus, en remplaçant le chocolat blanc par 125 g de chocolat noir et le sirop d'érable par 3 cuillerées à soupe de sirop de gingembre. Remplacez également 50 g de farine par 50 g de cacao en poudre. Ajoutez le gingembre confit haché aux ingrédients humides. Parsemez les cupcakes de noix de pécan et de chocolat noir hachés. Faites cuire comme ci-dessus.

cupcakes pour les enfants

serpents dans la jungle

Pour **12 cupcakes**
Préparation **55 minutes**
  + refroidissement
Cuisson **20 minutes**

2 c. à s. de **confiture**
  de fraises ou
  de framboises
12 **cupcakes à la vanille**
  (page 22)
175 g de **pâte à sucre**
  verte prête à l'emploi
sucre glace
50 g de **pâte à sucre rouge**
  prête à l'emploi
50 g de **pâte à sucre jaune**
  prête à l'emploi
4 **barres de chocolat**
  coupées en tronçons
  de 5 cm
50 g de **pâte à sucre**
  blanche prête à l'emploi
25 g de **pâte à sucre noire**
  prête à l'emploi

Badigeonnez de confiture le dessus des cupcakes froids avec un pinceau de cuisine. Malaxez la pâte à sucre verte sur un plan de travail saupoudré de sucre glace. Étalez-la très finement au rouleau puis découpez-y 12 disques de 6 cm. Posez-les sur les cupcakes.

Prenez environ 8 g de pâte à sucre rouge ou jaune puis roulez-la entre les paumes en un boudin fin de 12 à 15 cm de long. Faites une pointe à un bout pour la queue et donnez à l'autre extrémité la forme d'une tête. Aplatissez la tête et dessinez une bouche avec un couteau.

Étalez une petite quantité de pâte à sucre d'une autre couleur puis découpez-y des petits losanges. Collez les losanges sur le corps du serpent, à l'aide d'un pinceau humide. Enroulez le serpent autour d'un tronçon de chocolat puis positionnez le tout au centre d'un cupcake.

Façonnez des petites billes de pâte blanche pour les yeux et finissez avec de minuscules billes noires pour les prunelles. Collez les yeux à l'aide d'un pinceau humide.

Pour des mille-pattes multicolores, recouvrez les cupcakes avec de la pâte à sucre verte. Posez 1 rangée de petits bonbons multicolores sur la pâte en la faisant serpenter (collez les bonbons en déposant des points de glaçage noir avec un crayon pâtissier). Dessinez des petits points noir pour les yeux et un sourire à une des extrémités. Enfin, dessinez des petits traits pour les pattes, tout le long du corps du mille-pattes.

cupcakes alphabet

Pour **12 cupcakes**
Préparation **45 minutes**
 + refroidissement
 et temps de prise
Cuisson **20 minutes**

125 g de **beurre demi-sel**
 en pommade
125 g de **sucre en poudre**
2 **œufs**
150 g de **farine à levure**
 incorporée
½ c. à c. de **levure**
1 c. à c. d'**extrait de vanille**
50 g de **pépites de**
 chocolat blanc

Pour décorer
100 g de **pâte à sucre**
 orange et 100 g de **pâte**
 à sucre rouge prêtes
 à l'emploi (ou d'autres
 couleurs de votre choix)
sucre glace
50 g de **chocolat blanc**
 fondu

Garnissez un moule à muffins de 12 alvéoles de caissettes en papier. Dans un saladier, fouettez le beurre, le sucre, les œufs, la farine, la levure et l'extrait de vanille pendant 1 minute avec un fouet électrique. Incorporez les pépites de chocolat blanc puis répartissez la pâte dans les caissettes en papier.

Faites cuire 20 minutes dans un four préchauffé à 180 °C. Laissez refroidir les petits gâteaux sur une grille.

Étalez la pâte à sucre orange au rouleau, sur un plan de travail légèrement saupoudré de sucre glace. Découpez-y des petites lettres à l'aide d'emporte-pièces. Posez les lettres sur une plaque recouverte de papier sulfurisé. Refaites une boule avec les chutes et découpez d'autres lettres. Procédez de la même manière avec la pâte à sucre rouge. Laissez reposer au moins 1 heure jusqu'à ce que les lettres soient sèches et ne se déforment pas.

Versez le chocolat fondu sur les cupcakes et finissez avec les lettres, en les collant éventuellement les unes aux autres à l'aide d'un pinceau humide.

Pour des cupcakes chiffres, préparez et faites cuire les petits gâteaux comme ci-dessus puis laissez refroidir. Étalez 100 g de pâte à sucre jaune et 100 g de pâte à sucre verte au rouleau, sur un plan de travail saupoudré de sucre glace. Découpez-y des petits chiffres à l'aide d'emporte-pièces. Laissez reposer puis décorez comme ci-dessus.

coccinelles

Pour **12 cupcakes**
Préparation **40 minutes**
+ refroidissement
Cuisson **20 minutes**

2 c. à s. de **confiture
de framboises**
ou **de fraises**
12 **cupcakes à la vanille**
(page 22)
175 g de **pâte à sucre
rouge** prête à l'emploi
sucre glace
125 g de **pâte à sucre
noire** prête à l'emploi
15 g de **pâte à sucre
blanche** prête à l'emploi
**morceaux d'écorce
d'orange confite**, taillés
en allumettes

Étalez la confiture sur les cupcakes refroidis. Malaxez la pâte à sucre rouge sur un plan de travail saupoudré de sucre glace puis abaissez-la au rouleau. Découpez-y 12 disques de 6 cm. Posez 1 disque sur chaque cupcake.

Façonnez de minces boudins de pâte à sucre noire puis, avec un pinceau humide, collez-les au milieu de chaque disque. Prenez la moitié du reste de pâte noire et façonnez un mince boudin de 1 cm de diamètre. Taillez-le en tranches très fines que vous collerez sur les gâteaux pour représenter les points.

Avec le reste de pâte noire, façonnez des ovales pour la tête. Façonnez des petites billes de pâte blanche pour les yeux et finissez avec de minuscules billes de pâte noire pour les prunelles. Collez le tout à l'aide d'un pinceau humide.

Enfoncez les « antennes » en écorce d'orange confite derrière les yeux. Attachez des petites billes noires au bout de chaque antenne. Avec la pâte blanche, façonnez des sourires.

Pour des abeilles, étalez la confiture sur les cupcakes refroidis. Recouvrez-les de pâte à sucre jaune. Utilisez 125 g de pâte à sucre noire pour façonner la tête et les rayures de l'abdomen en les collant avec un pinceau humide. Ajoutez de gros yeux en utilisant de la pâte à sucre blanche. Pliez des petits morceaux de papier de riz en deux et découpez-y des ailes. Tracez un sillon peu profond perpendiculairement à la tête, et glissez-y les ailes en papier de riz.

cupcakes à la banane

Pour **12 cupcakes**
Préparation **25 minutes**
  + refroidissement
Cuisson **20 minutes**

100 g de **beurre demi-sel**
  en pommade
100 g de **sucre roux**
2 **œufs**
125 g de **farine à levure**
  incorporée
½ c. à c. de **levure**
1 **banane** mûre écrasée
75 g de **raisins secs**
100 g de **yaourt grec**
250 g de **sucre glace**
vermicelles en chocolat
  pour décorer

Garnissez un moule à muffins de 12 alvéoles de caissettes en papier. Dans un saladier, fouettez le beurre, le sucre, les œufs, la farine et la levure 1 minute avec un fouet électrique. Incorporez la purée de banane et les raisins secs. Répartissez la pâte dans les caissettes.

Faites cuire 20 minutes dans un four préchauffé à 180 °C. Laissez refroidir les petits gâteaux sur une grille.

Tapissez un bol avec une double épaisseur de papier absorbant. Versez le yaourt dans le bol. Ramenez les bords du papier vers le centre et pressez délicatement pour extraire le maximum de liquide. Posez la « boule » de yaourt sur deux autres épaisseurs de papier absorbant et extrayez encore un peu de liquide si possible.

Tamisez le sucre glace au-dessus d'un bol. Ajoutez le yaourt et remuez soigneusement jusqu'à l'obtention d'une crème à la texture légèrement caramélisée. Nappez les cupcakes avec ce mélange et décorez avec des vermicelles en chocolat.

Pour des cupcakes à la clémentine, préparez la pâte comme ci-dessus, en supprimant la banane et en ajoutant le zeste finement râpé de 2 clémentines. Faites cuire comme ci-dessus puis laissez refroidir. Pressez le yaourt comme ci-dessus puis mélangez-le à 4 cuillerées à soupe d'orange curd. Nappez les cupcakes avec ce mélange et décorez avec des quartiers de clémentine.

les animaux de la ferme

Pour **12 cupcakes**
Préparation **55 minutes**
+ refroidissement
Cuisson **20 minutes**

½ portion de **crème
au beurre** (page 18)
12 **cupcakes à la vanille**
(page 22)
100 g de **pâte à sucre
brune** prête à l'emploi
sucre glace
100 g de **pâte à sucre
jaune** prête à l'emploi
100 g de **pâte à sucre rose**
prête à l'emploi
15 g de **pâte à sucre
blanche** prête à l'emploi
15 g de **pâte à sucre noire**
prête à l'emploi
colorant alimentaire noir

Étalez une épaisse couche de crème au beurre
sur les cupcakes refroidis.

Pour les moutons, malaxez 75 g de pâte à sucre
brune (emballez le reste dans du film alimentaire)
sur un plan de travail saupoudré de sucre glace.
Prélevez-en un peu pour les oreilles et façonnez
4 boulettes avec le reste. Aplatissez les boulettes
et donnez-leur une forme ovale. Positionnez les têtes
sur la crème au beurre. Placez les petites oreilles.

Pour les vaches, réservez un peu de pâte jaune
pour les oreilles, et façonnez 4 boulettes avec le reste.
Aplatissez les boulettes, donnez-leur une forme ovale
et positionnez-les sur 4 autres cupcakes. L'ovale doit
quasiment recouvrir tout le gâteau. Façonnez et placez
les oreilles. Avec de la pâte à sucre brune, façonnez
le museau et les cornes, puis collez-les à l'aide
d'un pinceau humide.

Pour les cochons, réservez 25 g de pâte rose pour
le groin et les oreilles. Façonnez 4 boulettes avec le reste,
aplatissez-les et positionnez-les sur les 4 gâteaux
restants. Le disque de pâte à sucre doit quasiment
recouvrir tout le gâteau. Façonnez et positionnez le groin
et les oreilles pendantes. Faites 2 trous dans le groin.

Utilisez la pâte blanche et noire pour les yeux
des animaux en collant de minuscules billes noires
sur des billes blanches. Collez les yeux à l'aide d'un
pinceau humide. Dessinez les derniers détails avec
un pinceau fin trempé dans du colorant alimentaire noir.

chenille

Pour **11 cupcakes**
Préparation **45 minutes**
+ refroidissement
Cuisson **20 minutes**

75 g de **beurre doux**
en pommade
125 g de **sucre glace**
+ quelques pincées
pour le plan de travail
12 **cupcakes à la vanille**
(page 22)
50 g de **chocolat au lait**
râpé
100 g de **pâte à sucre rose**
ou **rouge** prête à l'emploi
50 g de **pâte à sucre brune**
prête à l'emploi
12 petits **bonbons**
au chocolat enrobés
de sucre (type Smarties)

Fouettez le beurre et le sucre glace jusqu'à l'obtention d'un mélange lisse. Sortez un des cupcakes de sa caissette en papier et coupez-en une tranche épaisse de façon oblique. Étalez un peu de crème au beurre sur un autre cupcake, posez la tranche sur la crème puis recouvrez-la de crème au beurre. Ce sera la tête du ver de terre.

Étalez 4 cuillerées à soupe de crème au beurre sur une grande planche rectangulaire. Parsemez la crème de chocolat au lait râpé. Étalez le reste de crème sur les cupcakes, puis disposez-les en serpentin sur le chocolat.

Étalez finement la pâte à sucre rose ou rouge au rouleau, sur un plan de travail saupoudré de sucre glace. Découpez-y 9 disques de 5 cm à l'aide d'un emporte-pièce. Posez 1 disque sur tous les petits gâteaux, à l'exception de la tête et de la queue. Dans les chutes, découpez un triangle pour la queue. Étalez la pâte à sucre brune et découpez-y un disque un peu plus grand que vous poserez sur le gâteau en tête. Dans la pâte brune, découpez également des petits disques de 2,5 cm que vous poserez sur les autres petits gâteaux. Dans les chutes de pâte à sucre rose ou rouge, découpez 2 disques pour les yeux et un grand sourire. Finissez avec les petits bonbons en chocolat pour les yeux et le corps.

cupcakes de princesse

Pour **12 cupcakes**
Préparation **30 minutes**
  + refroidissement
Cuisson **20 minutes**

1 portion de **crème
  au beurre** (page 18)
quelques gouttes de
  colorant alimentaire rose
12 **cupcakes à la vanille**
  (page 22)
petites **perles en sucre
  argentées**

Répartissez la crème au beurre dans 2 bols. Déposez quelques gouttes de colorant dans un des bols et remuez soigneusement. Avec une petite palette, déposez la crème au beurre rose sur les cupcakes refroidis, jusqu'à 5 mm des bords, en formant un léger dôme au centre.

Mettez la moitié du reste de crème au beurre non colorée dans une poche munie d'une douille à écriture. Mettez l'autre moitié dans une poche munie d'une douille étoilée. Déposez des lignes de crème avec la douille à écriture, espacées les unes de autres de 1 cm, de manière à dessiner des croisillons.

Avec la douille étoilée, déposez des petites rosaces sur le pourtour. Placez une petite perle en sucre à chaque intersection de 2 lignes.

Pour des bracelets à rubis, préparez ½ portion de crème au beurre (page 18). Avec une petite palette, étalez la crème sur les cupcakes refroidis. Avec un crayon pâtissier jaune, dessinez un cercle de glaçage sur chaque gâteau, à 1 cm des bords. Déposez des petits bonbons colorés sur le cercle jaune. Déposez un point de glaçage sur chaque bonbon et finissez avec des perles en sucre.

muffins à emporter

Pour **12 muffins**
Préparation **10 minutes**
Cuisson **15 minutes**

100 g de **farine ordinaire**
100 g de **farine complète**
2 c. à c. de **levure**
75 g de **sucre roux**
2 **œufs**
2 c. à s. d'**huile d'olive
douce** ou d'**huile
végétale**
40 g de **beurre demi-sel**
2 c. à c. d'**extrait de vanille**
150 g de **yaourt aux fruits
rouges** (fraises, framboises
ou cerises, par exemple)
100 g de **framboises**
ou de **fraises** fraîches,
coupées en petits
morceaux

Garnissez un moule à muffins de 12 alvéoles de caissettes en papier. Versez les deux farines, la levure et le sucre dans un saladier.

Dans un bol, fouettez les œufs, l'huile, le beurre fondu, l'extrait de vanille et le yaourt avec une fourchette. Versez ce mélange dans le saladier.

Remuez brièvement avec une grande cuillère en métal. Ajoutez la moitié des fruits rouges et remuez à peine. Répartissez la pâte dans les caissettes en papier. Répartissez le reste des fruits rouges sur les muffins.

Faites cuire 15 minutes dans un four préchauffé à 200 °C jusqu'à ce que les petits gâteaux soient gonflés et juste fermes au toucher. Laissez refroidir sur une grille.

Pour des muffins aux pommes et aux raisins secs, versez 150 g de farine ordinaire, 50 g de flocons d'avoine, 2 cuillerées à café de levure et 75 g de sucre roux dans un saladier. Ajoutez 1 pomme pelée et coupée en morceaux et 50 g de raisins secs. Fouettez les œufs, l'huile, le beurre fondu et l'extrait de vanille, comme ci-dessus. Ajoutez 150 g de yaourt à la pomme ou à la vanille. Mélangez brièvement les ingrédients secs et les ingrédients humides avec une grande cuillère en métal. Répartissez la pâte dans les caissettes en papier et faites cuire comme ci-dessus.

cupcakes aux dragées

Pour **12 cupcakes**
Préparation **20 minutes**
+ refroidissement
et temps de prise
Cuisson **15 à 18 minutes**

150 g de **farine ordinaire**
150 g de **sucre en poudre**
175 g de **beurre demi-sel**
1 ½ c. à c. de **levure**
1 ½ c. à c. d'**extrait
de vanille**
2 **œufs**

Glaçage
125 g de **sucre glace**
tamisé
½ c. à c. d'**extrait
de vanille**
environ 4 c. à c. d'**eau**
quelques gouttes
de **colorant alimentaire
jaune**, **vert** et **rose**
petites **dragées en sucre**
pour décorer

Garnissez un moule à muffins de 12 alvéoles
de caissettes en papier ou en aluminium. Mettez tous
les ingrédients de la pâte dans un saladier. Fouettez
1 minute avec un fouet électrique. Répartissez la pâte
dans les caissettes.

Faites cuire 15 à 18 minutes dans un four préchauffé
à 180 °C jusqu'à ce que les petits gâteaux soient gonflés
et juste fermes au toucher. Laissez refroidir dans le moule.

Dans un bol, mélangez le sucre glace, l'extrait de vanille
et juste ce qu'il faut d'eau pour obtenir un glaçage lisse.
Répartissez le glaçage dans 3 bols. Colorez le contenu
de chacun des bols avec un colorant différent.

Sortez les cupcakes du moule. Versez les glaçages
sur les petits gâteaux. Décorez avec les petites
dragées en sucre. Laissez prendre 30 minutes.

Pour des cupcakes au citron, préparez la pâte
comme ci-dessus, en ajoutant le zeste finement râpé
de 1 citron aux autres ingrédients avant de fouetter.
Faites cuire comme ci-dessus puis laissez refroidir.
Fouettez 150 ml de crème fraîche avec 1 cuillerée
à soupe de sucre glace jusqu'à ce que des pointes
souples se forment. Étalez un peu de ce mélange
sur chaque cupcake avec le dos d'une cuillère.
Déposez 1 cuillerée à café de lemon curd au centre.
Décorez chaque petit gâteau avec 2 ou 3 dragées
en sucre vertes, concassées.

petits chiens endormis

Pour **12 cupcakes**
Préparation **45 minutes**
+ refroidissement
Cuisson **20 minutes**

125 g de **beurre demi-sel**
en pommade
125 g de **sucre en poudre**
2 **œufs**
125 g de **farine à levure
incorporée**
25 g de **cacao en poudre**
½ c. à c. de **levure**

Pour décorer
75 g de **beurre doux**
en pommade
125 g de **sucre glace**
+ 1 pincée pour le plan
de travail
quelques gouttes
de **colorant alimentaire
bleu** et **noir**
300 g de **pâte à sucre
blanche** prête à l'emploi
25 g de **pâte à sucre noire**
prête à l'emploi

Garnissez un moule à muffins de 12 alvéoles
de caissettes en papier. Fouettez tous les ingrédients
de la pâte dans un saladier 1 minute avec un fouet
électrique. Répartissez la pâte dans les caissettes.
Faites cuire 20 minutes dans un four préchauffé
à 180 °C. Laissez refroidir les gâteaux sur une grille.

Fouettez le beurre et le sucre glace. Incorporez
le colorant bleu, puis étalez cette préparation
sur les cupcakes.

Prélevez 25 g de pâte à sucre blanche. Sur ces 25 g,
réservez un petit morceau pour les pattes. Façonnez
une boule légèrement aplatie avec le reste pour la tête.
Posez la tête et les pattes sur un des cupcakes de
manière que la tête soit posée sur les pattes. Fabriquez
2 oreilles pendantes dans de la pâte noire et collez-les
à la tête avec un pinceau humide. Répétez l'opération
pour les autres cupcakes.

Avec le colorant noir et un pinceau fin, dessinez
un nez, un œil, une tache sur l'autre œil et des griffes.

Pour des chats, préparez les cupcakes. Façonnez
des têtes et des pattes dans de la pâte à sucre blanche
puis positionnez-les sur les cupcakes. Formez des
petites oreilles pointues dans la pâte blanche puis
collez-les avec un pinceau humide. Dessinez des yeux,
des petits nez, des griffes et des taches noires avec du
colorant noir. Pour l'intérieur des oreilles et les bouches,
utilisez du colorant rose. Coupez de fines bandelettes
dans un ruban de réglisse, pour les moustaches.

canards, lapins et poussins

Pour **12 cupcakes**
Préparation **35 minutes**
 + refroidissement
Cuisson **20 minutes**

1 portion de **crème
au beurre** (page 18)
quelques gouttes
 de **colorant alimentaire
 jaune** et **bleu**
12 **cupcakes à la vanille**
 (page 22)
2 **cerises confites**

Fouettez deux tiers de la crème au beurre dans un bol avec quelques gouttes de colorant jaune. Étalez cette crème jaune sur les cupcakes avec une petite palette.

Colorez le reste de crème au beurre avec le colorant bleu. Mettez cette crème dans une poche munie d'une douille à écriture ou utilisez un cône en papier (page 15).

Dessinez des lapins, des canards et des poussins sur les cupcakes recouverts de crème au beurre jaune. Coupez les cerises confites en tranches fines puis en petits triangles. Utilisez ces triangles pour représenter les becs des canards et des poussins, ainsi que l'œil des lapins.

Pour une version pascale, préparez les cupcakes (page 22), en ajoutant le zeste finement râpé de 1 citron. Laissez refroidir. Fouettez 75 g de beurre doux ramolli, 125 g de sucre glace et 2 cuillerées à café de jus de citron jusqu'à l'obtention d'une crème lisse. Étalez cette crème sur les cupcakes. Déposez un petit poussin de Pâques sur chaque gâteau et quelques petites dragées en sucre pour les œufs.

cupcakes pirates

Pour **12 cupcakes**
Préparation **45 minutes**
  + refroidissement
Cuisson **20 minutes**

25 g de **beurre doux**
  en pommade
50 g de **sucre glace**
  + 1 pincée pour le plan
  de travail
quelques gouttes
  de **colorant alimentaire
  rouge**
50 g de **pâte à sucre verte**
  prête à l'emploi
50 g de **pâte à sucre
  blanche** prête à l'emploi
12 **cupcakes à la vanille**
  (page 22)
50 g de **pâte à sucre noire**
  prête à l'emploi
quelques **décors
  en chocolat** (facultatif)

Fouettez le beurre et le sucre glace. Incorporez le colorant rouge. Versez ce mélange dans une poche munie d'une douille à écriture ou utilisez un cône en papier (page 15).

Étalez la pâte à sucre verte sur un plan de travail saupoudré de sucre glace. Déposez de minces boudins de pâte blanche sur la pâte verte, en les espaçant de 5 mm. Passez le rouleau sur le tout pour aplatir les boudins blancs et pour créer des rayures. Découpez des formes semi-circulaires que vous poserez sur les petits gâteaux en les collant avec un peu de crème rouge contenue dans la poche à douille. Découpez des bandelettes dans les chutes pour former le nœud des foulards.

Façonnez les yeux et les sourires dans de la pâte blanche, et la pupille et le bandeau dans la pâte noire. Utilisez la crème au beurre rouge pour les cheveux en bataille et le contour de la bouche. Posez les pirates sur des assiettes, entourés de décors en chocolat.

Pour des cupcakes clowns, fouettez 75 g de beurre doux ramolli et 125 g de sucre glace. Étalez un peu de cette crème sur les cupcakes refroidis. Colorez le reste avec quelques gouttes de colorant jaune. Utilisez cette crème pour créer des cheveux en bataille. Façonnez des petites boulettes de pâte à sucre rouge pour le nez. Poursuivez avec des croix en noir pour les yeux et un grand sourire en pâte à sucre rouge. Finissez avec un grand nœud papillon en bleue ou verte.

cupcakes rennes

Pour **12 cupcakes**
Préparation **40 minutes**
+ refroidissement
et temps de prise
Cuisson **25 minutes**

150 g de **chocolat noir**
cassé en petits morceaux
1 c. à s. de **cacao
en poudre**
1 c. à s. d'**eau bouillante**
50 g de **beurre doux**
en pommade
125 g de **sucre glace**
12 **cupcakes au chocolat**
(page 22)
6 **cerises confites**
**petits bonbons
en chocolat** enrobés
de sucre

Faites fondre le chocolat (pages 16-17) puis versez-le dans une poche en papier. Coupez la pointe avec des ciseaux (page 15). Déposez des lignes de chocolat d'environ 6 cm de long sur une plaque recouverte de papier sulfurisé. Tracez des petites branches pour former les bois de rennes. Faites-en un peu plus en cas de casse au moment de l'assemblage. Laissez prendre au réfrigérateur.

Pendant ce temps, mélangez le cacao en poudre et l'eau bouillante dans un saladier. Ajoutez le beurre puis versez progressivement le sucre glace et lissez le mélange. Étalez-le sur les cupcakes refroidis. Posez ½ cerise confite sur chaque cupcake pour simuler le museau. Poursuivez avec 2 petits bonbons enrobés de sucre pour les yeux. Avec un reste de chocolat fondu, dessinez les pupilles.

Détachez les bois en chocolat du papier sulfurisé et posez-les sur la crème. Placez les cupcakes au frais jusqu'au moment de servir.

Pour des cupcakes boules de neige, préparez les cupcakes à la vanille (page 22), en incorporant à la pâte 50 g de chocolat blanc haché ou de pépites. Fouettez 75 g de beurre doux ramolli, 125 g de sucre glace et 1 cuillerée à café d'eau bouillante. Avec une petite palette, étalez ce mélange sur les cupcakes refroidis, puis formez des petites pointes. Enfoncez un morceau de biscuit enrobé de chocolat blanc au centre de chaque petit gâteau et saupoudrez de sucre glace.

fleurs aux fruits

Pour **12 cupcakes**
Préparation **30 minutes**
+ refroidissement
Cuisson **20 minutes**

125 g de **beurre demi-sel**
en pommade
125 g de **sucre en poudre**
2 **œufs**
150 g de **farine à levure**
incorporée
½ c. à c. de **levure**
50 g d'**ananas séché**,
haché finement
4 c. à s. de **confiture**
d'abricots ou de **fruits**
rouges
200 g de **fromage blanc**
parfumé aux fruits
¼ de petit **ananas frais**
½ **mangue** dénoyautée
et pelée
1 poignée de **framboises**,
de **mûres** ou de **cerises**
dénoyautées, fraîches
1 poignée de **raisin noir**
sans pépins

Garnissez un moule à muffins de 12 alvéoles
de caissettes en papier. Mettez le beurre, le sucre,
les œufs, la farine et la levure dans un saladier. Fouettez
1 minute avec un fouet électrique. Versez la pâte dans
les caissettes en papier. Parsemez d'ananas séché.

Faites cuire 20 minutes dans un four préchauffé
à 180 °C. Laissez refroidir les gâteaux sur une grille.

Étalez 1 cuillerée à café de confiture sur chaque
cupcake, puis déposez une fine couche de fromage
blanc.

Coupez l'ananas frais et la mangue en tranches.
Découpez-y des petits disques à l'aide d'un emporte-
pièce de 2,5 cm. Déposez environ 5 disques de fruits
frais par cupcake, en cercle, pour simuler les pétales
d'une fleur. Posez une framboise, une mûre, une cerise
ou un grain de raisin au centre des fleurs en coupant
les plus gros fruits en deux.

Pour des cupcakes à la fraise, préparez la pâte
comme ci-dessus, en remplaçant l'ananas séché
par 50 g de fraises sèches. Faites cuire comme
ci-dessus et laissez refroidir. Avec un couteau, prélevez
un disque de pâte au centre de chaque cupcake.
Déposez un peu de confiture de fraises et de fromage
blanc dans les cavités, au centre des gâteaux.
Reposez les « couvercles » sur les gâteaux
et saupoudrez de sucre glace.

petits diables

Pour **12 cupcakes**
Préparation **15 minutes**
  + refroidissement
  et temps de prise
Cuisson **10 à 15 minutes**

100 g de **beurre demi-sel**
  en pommade
100 g de **sucre en poudre**
quelques gouttes d'**extrait
  de vanille**
2 **œufs**
100 g de **farine à levure
  incorporée**
3 c. à s. de **cacao
  en poudre**
250 g de **pâte à sucre
  rouge** prête à l'emploi
environ 1 c. à s. d'**eau
  chaude** (bouillie)

Garnissez un moule à muffins de 12 alvéoles de caissettes en papier. Dans un saladier, fouettez le beurre, le sucre et l'extrait de vanille avec une cuillère en bois. Incorporez les œufs. Tamisez la farine et le cacao au-dessus du saladier. Remuez. Répartissez la pâte dans les caissettes en papier.

Faites cuire 10 à 15 minutes dans un four préchauffé à 180 °C. Laissez les petits gâteaux refroidir sur une grille.

Versez environ trois quarts de la pâte à sucre dans un bol. Ajoutez l'eau et remuez jusqu'à ce que le mélange soit onctueux. Quand les cupcakes sont froids, étalez la pâte à sucre ramollie dessus avec le dos d'une petite cuillère ou une palette. Façonnez des cornes de diable avec la pâte à sucre restante puis enfoncez-les dans la pâte à sucre humide. Laissez prendre.

Pour des cœurs au chocolat, préparez les cupcakes. Faites fondre 100 g de chocolat au lait avec 15 g de beurre et 1 cuillerée à soupe de lait (pages 16-17). Remuez jusqu'à l'obtention d'un mélange lisse puis étalez cette préparation sur les cupcakes avec une petite palette. Faites fondre 50 g de chocolat blanc puis versez-le sur un morceau de papier sulfurisé. Étalez le chocolat en couche fine puis laissez-le figer sans qu'il devienne cassant. Découpez des petits cœurs avec un emporte-pièce et détachez-les du papier. Posez 1 petit cœur sur chaque cupcake.

cupcakes citrouilles

Pour **12 cupcakes**
Préparation **30 minutes**
+ refroidissement
Cuisson **10 à 15 minutes**

100 g de **beurre demi-sel**
en pommade
100 g de **sucre en poudre**
quelques gouttes d'**extrait
de vanille**
2 **œufs**
100 g de **farine à levure
incorporée**

Pour décorer
125 g de **pâte à sucre
rouge** prête à l'emploi
125 g de **pâte à sucre
jaune** prête à l'emploi
125 g de **pâte à sucre
verte** prête à l'emploi
125 g de **pâte à sucre
noire** prête à l'emploi
crayon pâtissier noir
(facultatif)

Garnissez un moule à muffins de 12 alvéoles
de caissettes en papier. Dans un saladier, fouettez
le beurre, le sucre et l'extrait de vanille avec une cuillère
en bois. Incorporez les œufs. Tamisez la farine au-dessus
du saladier et remuez. Répartissez la pâte dans
les caissettes.

Faites cuire 10 à 15 minutes dans un four préchauffé
à 180 °C. Laissez refroidir les gâteaux sur une grille.

Malaxez la pâte à sucre rouge et la pâte à sucre jaune
pour obtenir de l'orange. Façonnez une petite boulette
de pâte verte puis aplatissez-la et posez-la sur un
cupcake. Façonnez une boule orange pour former
la citrouille puis posez-la sur le disque vert. Façonnez
une petite tige verte pour la citrouille. Faites les yeux
et un sourire grimaçant avec la pâte noire ou avec
un crayon pâtissier.

Pour des cupcakes feuilles d'automne, préparez
les cupcakes comme ci-dessus. Fouettez 75 g
de beurre doux ramolli, 125 g de sucre glace, 1 cuillerée
à café d'eau bouillante et quelques gouttes de colorant
alimentaire vert. Étalez ce mélange sur les cupcakes
refroidis. Étalez 75 g de pâte à sucre brune et 75 g
de pâte à sucre jaune au rouleau, sur un plan de travail
saupoudré de sucre glace. Découpez-y des petites
feuilles avec un emporte-pièce. Dessinez des veines
avec la pointe d'un couteau puis posez les feuilles
sur les cupcakes.

petits gâteaux d'anniversaire

Pour **18 cupcakes**
Préparation **25 minutes**
 + refroidissement
Cuisson **20 minutes**

175 g de **beurre demi-sel**
 en pommade
175 g de **sucre roux**
3 **œufs**
200 g de **farine à levure**
 incorporée
1 c. à c. de **levure**
le **zeste** finement râpé
 de 2 **citrons**

Pour décorer
125 g de **beurre doux**
 en pommade
200 g de **sucre glace**
quelques gouttes
 de **colorant alimentaire**
 rose ou **bleu**
125 g de petits **bonbons**
 colorés
petites **bougies**
 d'anniversaire

Garnissez de caissettes en papier 18 alvéoles
de 2 moules à muffins de 12 alvéoles. Fouettez tous
les ingrédients de la pâte dans un saladier pendant
1 minute avec un fouet électrique. Répartissez la pâte
dans les caissettes en papier.

Faites cuire 20 minutes dans un four préchauffé
à 180 °C. Laissez refroidir les gâteaux sur une grille.

Fouettez le beurre doux et le sucre glace jusqu'à
l'obtention d'un mélange lisse. Incorporez le colorant
alimentaire. Étalez la crème au beurre sur les cupcakes
refroidis, avec une petite palette. Décorez les gâteaux
avec des petits bonbons colorés.

Disposez une couche de cupcakes sur un plat
de service. Empilez d'autres gâteaux sur cette première
couche. Faites 2 ou 3 rangées en tout. Plantez le nombre
requis de petites bougies dans les gâteaux.

Pour une variante au chocolat, préparez la pâte
comme ci-dessus, en remplaçant 40 g de farine
par 40 g de cacao en poudre. Faites cuire comme
ci-dessus. Fouettez 125 g de beurre doux ramolli
et 200 g de sucre glace jusqu'à l'obtention d'un mélange
lisse. Incorporez 40 g de cacao en poudre dilué dans
5 cuillerées à soupe d'eau bouillante. Étalez cette crème
sur les cupcakes refroidis. Parsemez les petits gâteaux
de 125 g de bonbons et de vermicelles en chocolat.
Empilez les cupcakes comme ci-dessus.

cupcakes chiffres

Pour **12 cupcakes**
Préparation **25 minutes**
+ refroidissement
Cuisson **20 minutes**

quelques gouttes
de **colorant alimentaire
vert** ou **jaune**
1 portion de **crème
au beurre** (page 18)
12 **cupcakes à la vanille**
(page 22)
175 g de **pâte à sucre
blanche** prête à l'emploi
sucre glace pour le plan
de travail
50 g de **pâte à sucre rouge**
prête à l'emploi
50 g de **pâte à sucre bleue**
prête à l'emploi
**vermicelles en sucre
multicolores**

Incorporez le colorant alimentaire à la crème au beurre, puis nappez les cupcakes refroidis de ce mélange, en utilisant une petite palette.

Malaxez la pâte à sucre blanche sur un plan de travail légèrement saupoudré de sucre glace. Étalez la pâte au rouleau. Découpez-y 12 disques avec un emporte-pièce de 6 cm. Déposez 1 disque sur chaque cupcake.

Étalez la pâte à sucre rouge au rouleau. Découpez-y les chiffres de votre choix pour 6 cupcakes avec un petit couteau tranchant ou des emporte-pièces. Collez les chiffres avec un pinceau humide. Découpez les 6 autres chiffres dans la pâte à sucre bleue.

Badigeonnez d'eau le pourtour de chaque cupcake avec un pinceau de cuisine. Parsemez le pourtour de vermicelles multicolores.

Pour des cupcakes prénoms, réservez 4 cuillerées à soupe de crème au beurre sans la colorer. Étalez le reste de crème sur les cupcakes refroidis en la lissant au maximum avec une petite palette. Colorez les 4 cuillerées à soupe de crème au beurre avec quelques gouttes de colorant alimentaire rouge (ou une autre couleur). Versez cette crème dans un cône en papier dont vous aurez coupé la pointe (page 15). Dessinez des prénoms (ou des initiales) sur les cupcakes. Remplacez les vermicelles par des petits bonbons concassés (mettez-les dans un sachet en plastique et écrasez-les avec un rouleau à pâtisserie).

cupcakes pour les grands

cupcakes au marsala et à la ricotta

Pour **12 cupcakes**
Préparation **20 minutes**
+ refroidissement
Cuisson **25 minutes**

100 g de **raisins secs**
75 ml de **marsala**
ou de **xérès sec**
125 g de **beurre demi-sel**
en pommade
100 g de **sucre de canne
blond**
1 c. à c. d'**extrait de vanille**
2 **œufs**
150 g de **farine à levure
incorporée**
½ c. à c. de **levure**

Garniture
250 g de **ricotta**
50 g de **sucre glace**

Pour décorer
1 poignée d'**amandes**
effilées, légèrement grillées
12 **raisins secs**

Garnissez un moule à muffins de 12 alvéoles
de caissettes en papier. Faites chauffer les raisins secs
dans une casserole avec le marsala. Laissez frémir
1 minute puis retirez du feu et transvasez le mélange
dans un bol. Laissez refroidir.

Fouettez dans un saladier le beurre, le sucre, l'extrait
de vanille, les œufs, la farine et la levure 1 minute avec
un fouet électrique. Égouttez les raisins (réservez le
marsala non absorbé), et ajoutez-les dans le saladier.
Répartissez la pâte dans les caissettes. Faites cuire
20 minutes dans un four préchauffé à 180 °C. Laissez
refroidir les gâteaux sur une grille.

Dans un bol, mélangez la ricotta avec 1 cuillerée à café
de marsala et le sucre glace. Ne remuez pas trop
sinon le mélange deviendra trop fluide.

Percez le dessus des cupcakes avec une brochette
et arrosez-les avec le reste de marsala. Nappez-les
de mélange à la ricotta. Avec quelques amandes effilées
et raisins secs, déposez une fleur sur chaque cupcake.

Pour des cheese-cakes rhum-raisin, faites tremper
100 g de raisins secs dans 3 cuillerées à soupe de rhum
pendant plusieurs heures jusqu'à absorption complète
du liquide. Préparez la pâte en remplaçant les raisins
au marsala par les raisins au rhum. Faites cuire comme
ci-dessus. Fouettez 200 g de fromage frais et 40 g
de sucre glace. Nappez les cupcakes de ce mélange.
Décorez avec des biscuits émiettés.

cupcakes pimentés

Pour **12 cupcakes**
Préparation **15 minutes**
+ refroidissement
Cuisson **25 minutes**

1 **piment rouge** moyen-fort,
épépiné et haché finement
+ 6 petits, coupés en deux
125 g de **beurre demi-sel**
en pommade
175 g de **sucre en poudre**
2 **œufs**
150 g de **farine à levure
incorporée**
½ c. à c. de **levure**
125 g de **mangue séchée**,
hachée
2 c. à s. d'**eau**
5 c. à s. de **vodka**
75 g de **sucre glace**
le **zeste** finement râpé
de 1 **citron vert**
pour décorer

Garnissez un moule à muffins de 12 alvéoles de caissettes en papier. Dans un saladier, fouettez le piment haché, le beurre, 125 g de sucre en poudre, les œufs, la farine et la levure 1 minute avec un fouet électrique.

Ajoutez la mangue séchée puis répartissez la pâte dans les caissettes en papier. Posez ½ petit piment sur chaque cupcake.

Faites cuire 20 minutes dans un four préchauffé à 180 °C. Laissez refroidir les gâteaux sur une grille.

Faites dissoudre le reste de sucre dans une petite casserole avec l'eau, à feu doux. Portez à ébullition et maintenez-la 3 à 4 minutes jusqu'à l'obtention d'un mélange épais et sirupeux. Incorporez 4 cuillerées à soupe de vodka (attention aux éclaboussures !).

Percez le dessus des cupcakes avec une brochette et arrosez-les avec le sirop. Mélangez le reste de vodka avec le sucre glace. Versez ce mélange sur les cupcakes. Parsemez de zeste de citron.

Pour des cupcakes au gingembre frais, pelez et râpez finement 50 g de gingembre frais (recueillez le jus dans un bol). Préparez la pâte, en remplaçant le piment haché par le gingembre (sans le jus). Faites cuire comme ci-dessus. Quand les petits gâteaux sont froids, mélangez le jus de gingembre avec 75 g de sucre glace. Ajoutez un trait de jus de citron si le glaçage est trop sec. Arrosez les cupcakes.

cupcakes aux amandes pralinées

Pour **12 cupcakes**
Préparation **30 minutes**
+ refroidissement
Cuisson **25 minutes**

huile de tournesol
pour la plaque de cuisson
250 g de **sucre en poudre**
100 ml d'**eau**
75 g d'**amandes** effilées
125 g de **beurre demi-sel**
en pommade
1 c. à c. d'**extrait de vanille**
2 **œufs**
150 g de **farine à levure
incorporée**
½ c. à c. de **levure**

Garniture
75 g de **beurre doux** ramolli
125 g de **sucre glace**
1 c. à c. d'**eau chaude**

Garnissez un moule à muffins de 12 alvéoles de caissettes en papier. Huilez une plaque de cuisson. Faites dissoudre 150 g de sucre dans une petite casserole avec l'eau, à feu doux. Portez à ébullition et maintenez-la quelques instants. Quand le sirop est d'une couleur caramel, ajoutez les amandes. Quand elles sont bien enrobées, versez le caramel sur la plaque huilée et étalez-le en une couche fine. Laissez refroidir jusqu'à ce qu'il devienne cassant.

Cassez la moitié des amandes pralinées en 12 morceaux grossiers et réservez. Hachez l'autre moitié finement, dans un robot.

Fouettez dans un saladier le beurre, le reste de sucre, l'extrait de vanille, les œufs, la farine et la levure 1 minute avec un fouet électrique. Incorporez les amandes pralinées moulues. Répartissez dans les caissettes. Faites cuire 20 minutes dans un four préchauffé à 180 °C. Laissez refroidir les gâteaux sur une grille.

Fouettez le beurre, le sucre glace et l'eau chaude. Étalez sur les cupcakes. Décorez avec les morceaux d'amandes pralinées.

Pour des cupcakes au sirop d'érable et aux noix de pécan pralinées, remplacez les amandes par 75 g de noix de pécan. Hachez la moitié du pralin au robot et ajoutez-le à la pâte. Étalez sur les cupcakes 150 ml de crème fraîche fouettée avec 3 cuillerées à soupe de sirop d'érable. Décorez avec les morceaux de noix de pécan pralinées.

cupcakes fraises-tequila

Pour **12 cupcakes**
Préparation **25 minutes**
 + trempage
 et refroidissement
Cuisson **20 minutes**

75 g de **fraises séchées**
6 c. à s. de **tequila**
125 g de **beurre demi-sel**
 en pommade
125 g de **sucre en poudre**
le **zeste** finement râpé
 et le **jus** de 1 **citron vert**
2 **œufs**
150 g de **farine à levure**
 incorporée
½ c. à c. de **levure**

Garniture
50 g de **sucre en poudre**
quelques gouttes
 de **colorant alimentaire**
 rouge
150 ml de **crème fraîche**
12 **fraises fraîches**

Garnissez un moule de 12 alvéoles de caissettes en papier. Hachez grossièrement les fraises séchées et faites-les tremper dans la tequila 2 heures dans un bol, à couvert.

Égouttez les fraises en réservant la tequila. Dans un saladier, fouettez le beurre, le sucre, le zeste de citron, les œufs, la farine et la levure 1 minute avec un fouet électrique. Ajoutez les fraises. Répartissez la pâte dans les caissettes en papier.

Faites cuire 20 minutes dans un four préchauffé à 180 °C. Laissez refroidir les gâteaux sur une grille.

Mettez le sucre et le colorant dans un petit bol. Faites pénétrer le colorant dans le sucre avec le dos d'une petite cuillère. Badigeonnez le pourtour des cupcakes avec un peu de jus de citron. Tournez le bord des cupcakes dans le sucre coloré. Mélangez le reste de jus de citron et la tequila. Percez le dessus des cupcakes et arrosez-les avec le mélange citron-tequila.

Fouettez la crème fraîche. Nappez-en les cupcakes. Décorez chaque cupcake avec 1 fraise fraîche.

Pour des cupcakes piña colada, supprimez les fraises et la tequila, et préparez la pâte, en y ajoutant 25 g de noix de coco râpée avant de fouetter, puis 75 g d'ananas séché coupé en petits morceaux. Nappez les cupcakes refroidis de 150 ml de crème fraîche fouettée avec 3 cuillerées à soupe de rhum blanc. Décorez avec des petits quartiers d'ananas frais.

mini cupcakes à la menthe

Pour **50 mini cupcakes**
Préparation **45 minutes**
+ refroidissement
Cuisson **12 minutes**

50 g de **pastilles
à la menthe forte**
125 g de **beurre demi-sel**
en pommade
75 g de **sucre en poudre**
2 **œufs**
125 g de **farine à levure
incorporée**
½ c. à c. de **levure**

Pour décorer
100 g de **chocolat noir**
haché
25 g de **chocolat au lait**
haché

Posez 50 mini caissettes en papier ou en aluminium sur une plaque de cuisson. Mettez les pastilles à la menthe dans un sachet en plastique. Cassez-les en morceaux grossiers à l'aide d'un rouleau à pâtisserie.

Versez les pastilles à la menthe écrasées dans un saladier. Ajoutez tous les autres ingrédients de la pâte. Fouettez 1 minute avec un fouet électrique. Répartissez la pâte dans les caissettes.

Faites cuire 12 minutes dans un four préchauffé à 180 °C jusqu'à ce que les petits gâteaux soient gonflés et juste fermes au toucher. Laissez-les refroidir sur une grille.

Faites fondre le chocolat noir et le chocolat au lait dans deux récipients séparés (pages 16-17). Versez le chocolat au lait dans un cône en papier dont vous couperez la pointe (page 15). Étalez le chocolat noir fondu sur les cupcakes. Faites des lignes ou des petits points de chocolat au lait sur le chocolat noir. Placez dans un endroit frais jusqu'au moment de servir.

Pour des mini cupcakes menthe-chocolat blanc,
préparez la pâte comme ci-dessus, en remplaçant 15 g de farine par 15 g de cacao en poudre. Faites cuire comme ci-dessus. Faites fondre 200 g de chocolat blanc avec 4 cuillerées à soupe de lait, en remuant jusqu'à ce qu'il soit lisse. Incorporez 150 g de sucre glace. Étalez ce mélange sur les cupcakes et saupoudrez de cacao en poudre.

cupcakes frangipane-abricot

Pour **12 cupcakes**
Préparation **30 minutes**
+ refroidissement
Cuisson **25 minutes**

150 g d'**abricots secs**
coupés en tranches
5 c. à s. de **cognac**
3 c. à s. d'**eau**
5 c. à s. de **confiture
d'abricots**
100 g de **pâte d'amandes**
sucre glace pour le plan
de travail
125 g de **beurre demi-sel**
en pommade
75 g de **sucre en poudre**
2 **œufs**
150 g de **farine à levure
incorporée**
½ c. à c. de **levure**
50 g de **poudre d'amandes**
1 c. à c. d'**extrait d'amande**

Garnissez un moule à muffins de 12 alvéoles
de caissettes en papier. Faites cuire les abricots à feu
doux dans une petite casserole avec le cognac et l'eau,
4 à 5 minutes. Quand le liquide ait été absorbé, ajoutez
la confiture. Laissez refroidir.

Étalez la pâte d'amandes sur un plan de travail
saupoudré de sucre glace. Découpez-y des petits
cœurs de 2,5 cm de diamètre. Refaites une boule avec
les chutes. Posez les cœurs sur une plaque de cuisson
recouverte de papier sulfurisé et faites griller sous
le gril d'un four préchauffé. Laissez refroidir.

Fouettez tous les ingrédients restants dans un saladier
1 minute avec un fouet électrique. Incorporez le reste de
pâte d'amandes râpée. Répartissez dans les caissettes.

Faites cuire 20 minutes dans un four préchauffé
à 180 °C. Laissez refroidir les gâteaux sur une grille.

Versez le mélange à l'abricot sur les cupcakes.
Décorez avec les petits cœurs en pâte d'amandes
et saupoudrez de sucre glace.

Pour des mini linzer, fouettez 125 g de beurre
demi-sel ramolli, 125 g de sucre, 125 g de farine
à levure incorporée, ½ cuillerée à café de levure, 50 g
de poudre d'amandes, 2 œufs et 1 cuillerée à café
d'extrait d'amande. Faites cuire comme ci-dessus.
Une fois refroidis, nappez les cupcakes avec de la
confiture de framboises. Décorez d'amandes effilées
grillées et saupoudrez de sucre glace.

cupcakes à la lavande

Pour **12 cupcakes**
Préparation **20 minutes**
+ refroidissement
Cuisson **20 minutes**

6 brins de **lavande**
+ quelques **fleurs** pour
décorer
125 g de **beurre demi-sel**
en pommade
125 g de **sucre en poudre**
le **zeste** finement râpé
de ½ **orange**
2 **œufs**
150 g de **farine à levure
incorporée**
½ c. à c. de **levure**

Glaçage
150 g de **sucre glace**
4 ou 5 c. à c. de **jus
d'orange**
quelques gouttes
de **colorant alimentaire
mauve**

Garnissez un moule à muffins de 12 alvéoles
de caissettes en papier. Détachez les fleurs des tiges
de lavande et mettez-les dans un saladier avec le beurre,
le sucre, le zeste d'orange, les œufs, la farine et la
levure. Fouettez 1 minute avec un fouet électrique.
Répartissez la pâte dans les caissettes en papier.

Faites cuire 20 minutes dans un four préchauffé
à 180 °C jusqu'à ce que les petits gâteaux soient
gonflés et juste fermes au toucher. Laissez-les refroidir
sur une grille.

Mélangez le sucre glace et juste ce qu'il faut de jus
d'orange pour obtenir un glaçage fluide. Incorporez
quelques gouttes de colorant mauve. Versez le glaçage
sur les gâteaux et décorez avec quelques petites fleurs
de lavande.

Pour des cupcakes au thym, ciselez quelques brins
de thym citronné. Préparez la pâte comme ci-dessus
en remplaçant la lavande par le thym, et le zeste
d'orange par le zeste finement râpé de 1 citron. Faites
cuire comme ci-dessus. Fouettez 150 ml de crème
fraîche et 2 cuillerées à soupe de liqueur à l'amande
ou de miel liquide. Versez ce mélange sur les cupcakes
refroidis. Décorez avec des petits brins de thym.

cupcakes à la rose

Pour **12 cupcakes**
Préparation **20 minutes**
  + refroidissement
Cuisson **20 minutes**

25 g de **pétales de rose
cristallisés** + quelques-
uns pour décorer
125 g de **sucre en poudre**
125 g de **beurre demi-sel**
en pommade
2 **œufs**
150 g de **farine à levure
incorporée**
½ c. à c. de **levure**
1 c. à s. d'**eau de rose**

Garniture
250 g de **mascarpone**
125 g de **sucre glace**
1 c. à c. de **jus de citron**
quelques gouttes
de **colorant alimentaire
rose** (facultatif)

Garnissez un moule à muffins de 12 alvéoles
de caissettes en papier. Mettez les pétales de rose
et le sucre en poudre dans un robot. Hachez finement.
Versez le contenu du robot dans un saladier. Ajoutez
tous les autres ingrédients de la pâte puis fouettez
1 minute avec un fouet électrique. Répartissez la pâte
dans les caissettes en papier.

Faites cuire 20 minutes dans un four préchauffé
à 180 °C jusqu'à ce que les petits gâteaux soient
gonflés et fermes au toucher. Laissez-les refroidir
sur une grille.

Dans un saladier, fouettez le mascarpone, le sucre
glace, le jus de citron et le colorant rose, avec une
cuillère en bois, jusqu'à l'obtention d'un mélange lisse.
Répartissez ce mélange sur les cupcakes, avec une
petite palette, et décorez avec des pétales de rose
cristallisés.

Pour des cupcakes aux myrtilles cristallisées,
mettez 1 cuillerée à café de blanc d'œuf dans un bol
avec 75 g de myrtilles fraîches. Remuez jusqu'à ce
que les fruits soient enrobés d'un mince film de blanc
d'œuf. Tournez les myrtilles dans du sucre en poudre.
Préparez la pâte comme ci-dessus, en supprimant
les pétales de rose et l'eau de rose, et en ajoutant
1 cuillerée à café de pâte ou d'extrait de vanille. Faites
cuire comme ci-dessus. Préparez la garniture comme
ci-dessus en remplaçant le colorant rose par du colorant
mauve. Répartissez la préparation sur les cupcakes
refroidis. Décorez avec les myrtilles cristallisées.

cupcakes à la pistache

Pour **12 cupcakes**
Préparation **40 minutes**
+ refroidissement
Cuisson **20 minutes**

150 g de **pistaches**
125 g de **beurre demi-sel**
en pommade
125 g de **sucre en poudre**
2 **œufs**
150 g de **farine à levure**
incorporée
½ c. à c. de **levure**

Pour décorer
300 ml de **crème fraîche**
2 c. à s. de **sucre glace**
2 c. à s. de **liqueur**
à l'amande ou à l'orange

Garnissez un moule à muffins de 12 alvéoles de caissettes en papier. Dans un récipient résistant à la chaleur, recouvrez les pistaches d'eau bouillante et laissez reposer 30 secondes. Égouttez-les et mondez-les. Jetez les peaux. Hachez finement les pistaches dans un robot.

Fouettez le beurre, le sucre, les œufs, la farine, la levure et 50 g de pistaches hachées dans un saladier 1 minute avec un fouet électrique. Répartissez la pâte dans les caissettes en papier. Faites cuire 20 minutes dans un four préchauffé à 180 °C. Laissez refroidir les gâteaux sur une grille.

Détachez les caissettes en papier. Fouettez la crème fraîche avec le sucre glace et la liqueur dans un bol. Nappez le tour des petits gâteaux avec la moitié de cette préparation. Tournez les cupcakes dans le reste de pistaches hachées. Déposez le reste de crème sur le dessus des gâteaux.

Pour des cupcakes aux noix de macadamia et aux framboises, hachez finement 50 g de noix de macadamia, puis faites-les griller à sec dans une poêle. Laissez refroidir. Préparez la pâte comme ci-dessus, en remplaçant les pistaches par les noix de macadamia. Faites cuire comme ci-dessus. Une fois refroidis, coupez les cupcakes en deux, horizontalement. Fouettez 150 ml de crème fraîche et 1 cuillerée à soupe de sucre glace. Garnissez les cupcakes avec la crème et les framboises en sandwich. Saupoudrez de sucre glace et servez.

muffins à la camomille

Pour **12 muffins**
Préparation **15 minutes**
Cuisson **15 à 18 minutes**

15 g de **camomille**
   pour infusion
75 g de **poudre d'amandes**
100 g de **sucre roux**
275 g de **farine ordinaire**
1 c. à s. de **levure**
le **zeste** finement râpé
   de 1 **citron**
75 g de **raisins secs**
75 g de **beurre demi-sel**
   fondu + un peu pour servir
2 **œufs** battus
285 ml de **babeurre**

Garnissez un moule à muffins de 12 alvéoles de caissettes en papier. Mettez la camomille, la poudre d'amandes et le sucre dans un robot. Mélangez brièvement. Versez le mélange dans un saladier puis incorporez la farine, la levure, le zeste de citron et les raisins secs.

Mélangez le beurre fondu, les œufs et le babeurre dans un récipient à part. Versez ce mélange dans le saladier. Avec une grande cuillère en métal, remuez brièvement. Répartissez la pâte dans les caissettes en papier.

Faites cuire 15 à 18 minutes dans un four préchauffé à 220 °C jusqu'à ce que les muffins aient gonflé et légèrement doré. Servez ces muffins chauds, coupés en deux, avec du beurre.

Pour des muffins à la menthe et au chocolat blanc, travaillez les ingrédients dans un robot, comme ci-dessus, en remplaçant la camomille par 15 g de menthe poivrée (à infuser). Versez dans un saladier et ajoutez les autres ingrédients, en remplaçant les raisins secs par 100 g de chocolat blanc haché. Incorporez ensuite les ingrédients humides et faites cuire comme ci-dessus.

cupcakes florentins

Pour **12 cupcakes**
Préparation **20 minutes**
+ refroidissement
Cuisson **30 minutes**

huile de tournesol
pour la plaque de cuisson
75 g d'**amandes** effilées
50 g de **raisins secs**
125 g de **cerises confites**
coupées en quatre
4 c. à s. de **golden syrup**
12 **cupcakes à la vanille**
(page 22)
50 g de **chocolat noir**
cassé en morceaux

Huilez légèrement une plaque de cuisson. Fouettez les amandes effilées, les raisins secs, les cerises confites et le golden syrup. Versez ce mélange sur la plaque huilée et étalez-le en une couche fine.

Faites cuire 10 minutes dans un four préchauffé à 200 °C jusqu'à ce que les amandes et le sirop commencent à dorer. Sortez la plaque du four et laissez refroidir légèrement.

Cassez la préparation en morceaux et répartissez-la sur les cupcakes refroidis, en une couche uniforme.

Faites fondre le chocolat (pages 16-17) et versez-le dans une poche munie d'une douille à écriture. Tracez des lignes de chocolat fondu sur les cupcakes. Laissez prendre avant de servir.

Pour des cupcakes à garniture croquante, préparez et faites cuire 12 cupcakes au chocolat (page 22). Faites chauffer 50 g de beurre doux à feu modéré, dans une petite casserole, avec 50 g de sucre en poudre et 2 cuillerées à soupe de golden syrup. Quand le beurre a fondu, augmentez le feu et faites cuire jusqu'à ce que la préparation commence à dorer sur le pourtour. Versez 100 g de riz soufflé en une fois et remuez. Répartissez ce mélange sur les cupcakes. Laissez refroidir.

cupcakes velours rouge

Pour **12 cupcakes**
Préparation **20 minutes**
  + refroidissement
Cuisson **20 à 25 minutes**

150 g de **farine à levure
  incorporée**
2 c. à s. de **cacao
  en poudre**
½ c. à c. de **bicarbonate
  de soude**
100 ml de **babeurre**
1 c. à c. de **vinaigre**
50 g de **beurre demi-sel**
  en pommade
100 g de **sucre en poudre**
1 **œuf**
50 g de **betterave crue**,
  pelée et râpée finement

Garniture
200 g de **fromage frais**
2 c. à c. d'**extrait de vanille**
300 g de **sucre glace**
12 **cerises fraîches**
  pour décorer

Garnissez un moule à muffins de 12 alvéoles de caissettes en papier. Mélangez la farine, le cacao et le bicarbonate de soude dans un récipient. Dans un bol, mélangez le babeurre et le vinaigre.

Dans un saladier, fouettez le beurre et le sucre jusqu'à l'obtention d'un mélange crémeux. Ajoutez l'œuf et la betterave. Tamisez la moitié du mélange farine-cacao-bicarbonate au-dessus du saladier et remuez avec une grande cuillère en métal. Ajoutez la moitié du mélange babeurre-vinaigre. Incorporez ensuite le reste de farine tamisée ainsi que le reste de babeurre. Répartissez la pâte dans les caissettes.

Faites cuire 20 à 25 minutes dans un four préchauffé à 180 °C. Laissez refroidir les gâteaux sur une grille.

Fouettez le fromage frais dans un bol avec une cuillère en bois pour le lisser. Incorporez l'extrait de vanille et le sucre glace. Répartissez cette crème sur les cupcakes et décorez avec les cerises fraîches.

Pour des cupcakes épicés à la poire et au chèvre,

préparez la pâte, en remplaçant le cacao en poudre par 2 cuillerées à soupe de farine à levure incorporée et 1 cuillerée à café de quatre-épices. Supprimez la betterave. Ajoutez 75 g de poires séchées, coupées en morceaux. Faites cuire comme ci-dessus. Fouettez 100 g de fromage de chèvre frais, 150 g de sucre glace et 1 cuillerée à café de jus de citron. Étalez sur les cupcakes. Supprimez les cerises.

cupcakes à la marmelade d'oranges

Pour **12 cupcakes**
Préparation **15 minutes**
Cuisson **20 minutes**

150 g de **beurre demi-sel**
  en pommade
75 g de **sucre en poudre**
75 g de **marmelade**
  d'oranges
2 **œufs**
175 g de **farine à levure**
  incorporée
½ c. à c. de **levure**
1 c. à c. d'**extrait de vanille**
1 morceau d'**écorce**
  d'orange confite

Garnissez un moule à muffins de 12 alvéoles
de caissettes en papier. Mettez le beurre, le sucre,
la marmelade d'oranges, les œufs, la farine, la levure
et l'extrait de vanille dans un saladier. Fouettez 1 minute
avec un fouet électrique. Répartissez la pâte dans
les caissettes en papier.

Coupez le morceau d'écorce confite en languettes.
Décorez chaque cupcake avec 2 languettes.

Faites cuire 20 minutes dans un four préchauffé
à 180 °C jusqu'à ce que les petits gâteaux soient
gonflés et juste fermes au toucher. Laissez-les refroidir
sur une grille.

Pour des cupcakes au gingembre, préparez
la pâte comme ci-dessus, en remplaçant la marmelade
d'oranges par 75 g de marmelade de gingembre et
en ajoutant 1 cuillerée à café de gingembre en poudre.
Répartissez la pâte dans les caissettes en papier. Taillez
un morceau de gingembre confit en tranches fines
que vous poserez sur les cupcakes avant de les cuire
comme ci-dessus.

cupcakes au café et aux noix

Pour **12 cupcakes**
Préparation **20 minutes**
 + refroidissement
Cuisson **20 minutes**

2 c. à c. d'**espresso
 instantané**
2 c. à c. d'**eau bouillante**
125 g de **beurre demi-sel**
 en pommade
125 g de **sucre roux**
2 **œufs**
150 g de **farine à levure
 incorporée**
½ c. à c. de **levure**
50 g de **noix** hachées

Crème au beurre au café
1 c. à c. d'**espresso
 instantané**
2 c. à c. d'**eau bouillante**
100 g de **beurre doux**
 en pommade
150 g de **sucre glace**
12 cerneaux de **noix**
 pour décorer

Garnissez un moule à muffins de 12 alvéoles de caissettes en papier. Diluez l'espresso dans l'eau bouillante. Mettez le beurre, le sucre, les œufs, la farine et la levure dans un saladier. Versez le café dilué et fouettez 1 minute avec un fouet électrique. Ajoutez les noix hachées. Répartissez la pâte dans les caissettes en papier.

Faites cuire 20 minutes dans un four préchauffé à 180 °C.

Préparez la crème au beurre au café. Diluez l'espresso dans l'eau bouillante. Ajoutez le beurre et le sucre glace puis fouettez jusqu'à l'obtention d'un mélange crémeux.

Déposez des rosaces de crème au beurre sur les cupcakes avec une poche munie d'une douille étoilée, ou étalez-la avec une petite palette. Décorez chaque cupcake avec un cerneau de noix.

Pour des cupcakes au beurre de cacahuètes,
fouettez 75 g de beurre demi-sel ramolli, 125 g de beurre de cacahuète « crunchy » (avec morceaux), 125 g de sucre en poudre, 2 œufs, 150 g de farine à levure incorporée, ½ cuillerée à café de levure et 1 cuillerée à soupe de lait 1 minute avec un fouet électrique. Répartissez la pâte dans les caissettes en papier et faites cuire comme ci-dessus. Préparez la crème au beurre sans ajouter le café dilué. Répartissez cette crème sur les cupcakes refroidis. Décorez avec des cacahuètes hachées.

cupcakes épicés à la patate douce

Pour **9 cupcakes**
Préparation **25 minutes**
+ refroidissement
Cuisson **35 minutes**

125 g de **patate douce**
(environ 1 petite)
10 **gousses**
de cardamome
50 g de **beurre demi-sel**
6 c. à s. de **miel** liquide
2 **œufs** battus
100 g de **farine à levure**
incorporée
½ c. à c. de **levure**
3 c. à s. d'**amandes** effilées
grillées
50 g de **sucre roux**
2 c. à c. de **jus de citron**

Garnissez de caissettes en papier 9 alvéoles d'un moule à muffins de 12 alvéoles. Brossez la patate douce puis coupez-la en dés. Faites bouillir 10 minutes. Égouttez puis écrasez en purée lisse et laissez refroidir.

Écrasez les gousses de cardamome dans un mortier avec un pilon pour libérer les graines. Jetez les cosses et broyez les graines le plus finement possible.

Faites fondre le beurre dans une petite casserole avec le miel. Versez le mélange dans un bol et laissez refroidir légèrement. Avec un fouet, incorporez la purée de patate douce et la cardamome, puis ajoutez les œufs, la farine et la levure. Répartissez la pâte dans les caissettes en papier et parsemez d'amandes effilées.

Faites cuire 20 minutes dans un four préchauffé à 180 °C. Laissez refroidir les gâteaux sur une grille.

Dans un bol, fouettez le sucre et le jus de citron jusqu'à l'obtention d'un glaçage fluide. Tracez de fines lignes de glaçage sur les petits gâteaux.

Pour des petits gâteaux épicés au panais, préparez la pâte comme ci-dessus, en remplaçant la patate douce par 125 g de panais écrasé et la cardamome par ¼ de cuillerée à café de piment fort en poudre. Répartissez la pâte dans les caissettes puis parsemez de 2 cuillerées à soupe de pignons de pin. Faites cuire comme ci-dessus. Saupoudrez de sucre glace.

cupcakes framboise-amaretti

Pour **12 cupcakes**
Préparation **20 minutes**
+ refroidissement
Cuisson **20 minutes**

75 g de **biscuits amaretti**
75 g de **sucre de canne blond**
100 g de **beurre demi-sel** en pommade
2 **œufs**
75 g de **farine à levure incorporée**
½ c. à c. de **levure**

Garniture
200 g de **fromage frais**
8 c. à s. de **sucre glace** + 1 pincée pour décorer
250 g de **framboises** fraîches

Garnissez un moule à muffins de 12 alvéoles de caissettes en papier. Mettez les biscuits amaretti dans un sachet en plastique et broyez-les en écrasant le sac avec un rouleau à pâtisserie.

Versez les biscuits émiettés dans un saladier. Ajoutez le sucre, le beurre, les œufs, la farine et la levure. Fouettez 1 minute avec un fouet électrique. Répartissez la pâte dans les caissettes.

Faites cuire 20 minutes dans un four préchauffé à 180 °C jusqu'à ce que les petits gâteaux soient gonflés et juste fermes au toucher. Laissez-les refroidir sur une grille.

Fouettez le fromage frais dans un bol avec une cuillère en bois, pour l'assouplir. Ajoutez le sucre glace, en fouettant. Étalez ce mélange sur les cupcakes avec une petite palette. Décorez avec les framboises et saupoudrez de sucre glace.

Pour des cupcakes abricot-amande, préparez la pâte comme ci-dessus. Hachez grossièrement 50 g d'abricots secs et 50 g d'amandes mondées. Incorporez environ un tiers des abricots et des amandes à la pâte. Répartissez la pâte dans les caissettes. Répartissez le reste d'abricots et d'amandes sur les cupcakes et faites cuire comme ci-dessus. Saupoudrez de sucre glace.

cupcakes meringués au citron

Pour **12 cupcakes**
Préparation **20 minutes**
Cuisson **25 minutes**

125 g de **beurre demi-sel**
en pommade
125 g de **sucre en poudre**
2 **œufs**
150 g de **farine à levure**
incorporée
½ c. à c. de **levure**
1 c. à c. d'**extrait de vanille**
le **zeste** finement râpé
de 1 **citron**

Garniture
2 **blancs d'œufs**
100 g de **sucre en poudre**
4 c. à s. de **lemon curd**

Garnissez un moule à muffins de 12 alvéoles
de caissettes en papier. Fouettez tous les ingrédients
de la pâte dans un saladier 1 minute avec un fouet
électrique. Répartissez la pâte dans les caissettes.

Faites cuire 20 minutes dans un four préchauffé
à 180 °C.

Montez les blancs d'œufs en neige ferme dans un
récipient parfaitement propre. Incorporez progressivement
le sucre (1 cuillerée à soupe à la fois), jusqu'à obtention
d'une pâte à meringue ferme et satinée.

Sortez les cupcakes du four et augmentez
la température à 230 °C.

Avec une petite cuillère, faites un creux dans chaque
cupcake. Remplissez-le de lemon curd. Déposez la
meringue sur le lemon curd avec une petite palette.
Remettez 1 à 2 minutes dans le four pour faire dorer
la meringue. Servez chaud.

Pour des mini omelettes norvégiennes, préparez
les cupcakes. Laissez refroidir. Préparez la pâte à
meringue. Avec une petite cuillère, faites un creux dans
chaque gâteau. Remplissez-le avec ½ cuillerée à café
de confiture de framboises ou de fraises et 1 cuillerée
à café de glace à la vanille. Finissez avec la meringue,
en veillant à bien recouvrir toute la glace. Remettez les
cupcakes dans le four, à une température plus élevée,
et faites dorer légèrement. Servez aussitôt.

cupcakes et crème au café

Pour **12 cupcakes**
Préparation **20 minutes**
+ refroidissement
Cuisson **20 minutes**

150 g de **beurre demi-sel**
en pommade
150 g de **sucre en poudre**
175 g de **farine à levure
incorporée**
1 c. à s. d'**espresso**
ou de **café fort lyophilisé**
3 **œufs**
1 c. à c. d'**extrait de vanille**

Garniture
4 c. à s. de **liqueur au café**
300 ml de **crème fraîche**
75 g de **chocolat noir**
ou de **chocolat au lait**
cacao en poudre
pour décorer

Garnissez un moule à muffins de 12 alvéoles
de caissettes en papier. Fouettez tous les ingrédients
de la pâte dans un saladier 1 à 2 minutes avec un fouet
électrique. Répartissez la pâte dans les caissettes.

Faites cuire 20 minutes dans un four préchauffé
à 180 °C. Laissez refroidir les gâteaux sur une grille.

Arrosez les cupcakes refroidis avec 2 cuillerées
à soupe de liqueur au café.

Fouettez la crème avec le reste de liqueur dans un bol.
Quand le mélange a épaissi, étalez cette préparation
sur les cupcakes avec une petite palette.

Prélevez des copeaux de chocolat à l'aide d'un
économe. Si le chocolat est trop cassant, essayez
de le ramollir quelques secondes au micro-ondes.
Répartissez les copeaux sur la crème puis saupoudrez
de cacao en poudre. Placez les cupcakes au frais.

Pour des cupcakes moka-amande, faites griller
40 g d'amandes effilées. Mélangez les amandes avec
1 cuillerée à soupe de sucre en poudre et ¼ de cuillerée
à café de cannelle moulue. Préparez la pâte comme
ci-dessus puis répartissez-la dans les caissettes en papier.
Parsemez avec la moitié du mélange aux amandes,
et faites cuire comme ci-dessus. Arrosez les cupcakes
de ½ cuillerée à café de liqueur au café et parsemez-les
avec le reste d'amandes. Remettez les cupcakes dans
le four pour 3 minutes, puis laissez refroidir sur une grille.

cupcakes
salés

muffins au maïs, piment et lardons

Pour **12 muffins**
Préparation **15 minutes**
+ refroidissement
Cuisson **25 minutes**

2 **épis de maïs**
4 fines tranches de **poitrine fumée**, hachées finement
1 petit **oignon** haché finement
275 g de **fécule de maïs**
1 c. à s. de **levure**
½ c. à c. de **sel**
1 ½ c. à c. de **piment séché**, pilé
1 c. à c. de **graines de cumin** broyées
4 c. à s. de **coriandre fraîche** ciselée
2 **œufs**
65 g de **beurre demi-sel** fondu
225 ml de **lait**

Garnissez un moule à muffins de 12 alvéoles de caissettes en papier. Faites bouillir les épis de maïs dans une grande casserole d'eau pendant 5 minutes. Égouttez et laissez refroidir. Avec un couteau, détachez les grains.

Dans une poêle, faites revenir la poitrine et l'oignon à feu doux, sans matière grasse, en remuant. Laissez refroidir.

Mélangez la fécule de maïs, la levure, le sel, le piment séché, le cumin et la coriandre dans un saladier. Ajoutez la poitrine fumée croustillante, l'oignon et les grains de maïs.

Fouettez les œufs, le beurre fondu et le lait, puis versez ce mélange dans le saladier. Avec une grande cuillère en métal, remuez brièvement. Répartissez la pâte dans les caissettes en papier. Faites cuire 15 minutes dans un four préchauffé à 220 °C. Servez chaud ou froid.

Pour des petits pains indiens aux épices, écrasez 12 gousses de cardamome dans un mortier avec un pilon. Jetez les cosses. Ajoutez 1 cuillerée à café de graines de coriandre et 1 cuillerée à café de graines de fenouil dans le mortier. Broyez le tout. Préparez la pâte sans le maïs et en faisant griller les graines avec 1 cuillerée à soupe d'huile végétale, l'oignon et 2 petites branches de céleri hachées finement, à la place du bacon. Faites cuire comme ci-dessus.

cupcakes poivron rouge et pignons

Pour **12 cupcakes**
Préparation **20 minutes**
  + refroidissement
Cuisson **30 minutes**

150 g de **beurre demi-sel**
  en pommade
2 **poivrons rouges**,
  épépinés et taillés
  en petits dés
2 **échalotes** émincées
2 gousses d'**ail** pilées
75 g de **pignons de pin**
125 g de **farine ordinaire**
2 c. à c. de **levure**
125 g de **poudre**
  d'amandes
4 **œufs** battus
12 petites feuilles
  de **laurier** (facultatif)
poivre

Garnissez un moule à muffins de 12 alvéoles
de caissettes en papier. Faites fondre 25 g de beurre
dans une poêle, puis faites-y revenir les poivrons,
les échalotes et l'ail 5 minutes à feu doux. Quand
les légumes sont fondants, retirez-les à l'aide d'une
écumoire et réservez. Mettez les pignons dans la poêle
et faites revenir 2 à 3 minutes jusqu'à ce qu'ils
commencent à dorer. Laissez refroidir.

Mettez le reste de beurre dans un saladier avec
la farine, la levure, la poudre d'amandes, les œufs
et une généreuse quantité de poivre. Remuez
soigneusement, puis ajoutez la préparation aux
poivrons. Ajoutez les pignons. Répartissez la pâte
dans les caissettes en papier et déposez une petite
feuille de laurier sur chaque cupcake.

Faites cuire 20 minutes dans un four préchauffé
à 180 °C jusqu'à ce que les cupcakes soient gonflés et
juste fermes au toucher. Laissez refroidir sur une grille
ou servez chaud.

Pour des cupcakes aux artichauts et aux câpres,
égouttez 1 bocal de 275 g d'artichauts marinés puis
coupez-les en petits morceaux. Rincez et égouttez
2 cuillerées à soupe de câpres. Préparez la pâte
comme ci-dessus, en supprimant les poivrons,
les échalotes et l'ail, en réduisant la quantité de beurre
à 125 g, et en ajoutant les artichauts et les câpres
à la place du mélange poivrons-pignons. Faites cuire
comme ci-dessus.

cupcakes au fromage de chèvre

Pour **12 cupcakes**
Préparation **25 minutes**
Cuisson **15 minutes**

325 g de **farine ordinaire**
  + un peu pour le plan
  de travail
1 c. à s. de **levure**
½ c. à c. de **sel**
½ c. à c. d'**origan** séché
8 g de **basilic** ciselé
2 **oignons nouveaux**
  hachés finement
100 g de **tomates** mûres
  à point, hachées
  et égouttées
285 ml de **babeurre**
1 **jaune d'œuf**
200 g de **fromage
  de chèvre** coupé
  en petits morceaux
un peu de **lait**
poivre

Découpez 12 carrés de 13 cm de côté dans un morceau de papier sulfurisé. Garnissez-en les alvéoles d'un moule à muffins. Mélangez la farine, la levure, le sel et l'origan dans un saladier. Ajoutez le basilic, les oignons nouveaux et les tomates.

Mélangez le babeurre et le jaune d'œuf, puis versez ce mélange dans le saladier. Remuez brièvement, en ajoutant un peu de farine si la pâte est très collante.

Retournez le saladier sur un plan de travail fariné et divisez la pâte en 12 portions égales. Façonnez 12 boulettes que vous déposerez dans le moule.

Enfoncez le pouce dans chaque boulette pour créer une petite cavité au centre. Glissez-y quelques morceaux de fromage de chèvre. Badigeonnez le dessus des cupcakes avec du lait. Poivrez. Faites cuire 15 minutes dans un four préchauffé à 220 °C. Laissez refroidir les cupcakes sur une grille.

Pour des cupcakes au poireau et au gruyère,
hachez grossièrement 1 poireau et faites-le revenir à feu doux dans 25 g de beurre demi-sel. À part, mélangez les ingrédients secs, puis ajoutez le poireau, 75 g de gruyère râpé et ½ cuillerée à café de noix de muscade fraîchement râpée, à la place du basilic, des oignons nouveaux et des tomates. Incorporez le babeurre et le jaune d'œuf, et façonnez des boulettes, sans le fromage de chèvre. Badigeonnez de lait, poivrez généreusement et faites cuire.

cupcakes parmesan-pancetta

Pour **9 cupcakes**
Préparation **20 minutes**
+ refroidissement
Cuisson **25 à 30 minutes**

100 g de **pancetta**
coupée en tranches fines
5 c. à s. d'**huile d'olive**
300 g de **farine à levure incorporée**
2 c. à c. de **levure**
50 g de **parmesan** râpé finement
200 ml de **lait**
1 **œuf** battu
2 c. à s. de **moutarde à l'ancienne**

Garnissez de caissettes en papier 9 alvéoles d'un moule à muffins de 12 alvéoles. Découpez 9 languettes de 5 cm de pancetta. Hachez finement le reste. Faites chauffer 1 cuillerée à soupe d'huile d'olive dans une petite poêle. Faites-y revenir les languettes de pancetta 5 minutes. Retirez-les à l'aide d'une écumoire et réservez-les. Faites revenir la pancetta hachée dans la même poêle, 3 à 4 minutes. Laissez refroidir.

Mettez la farine et la levure dans un saladier. Ajoutez le parmesan et la pancetta hachée puis remuez.

Fouettez le reste d'huile d'olive, le lait, l'œuf et la moutarde avec une fourchette. Versez ce mélange dans le saladier et remuez brièvement.

Répartissez la pâte dans les caissettes en papier. Déposez 1 languette de pancetta croustillante sur chaque cupcake. Faites cuire 15 à 20 minutes dans un four préchauffé à 200 °C. Laissez refroidir les cupcakes sur une grille ou servez-les chauds.

Pour des cupcakes au chorizo et au romarin,
coupez un chorizo de 100 g en petits dés. Faites revenir le chorizo à la place de la pancetta, comme ci-dessus. Ajoutez les dés de chorizo dans le saladier avec la farine, la levure et le parmesan. Poursuivez comme ci-dessus, en remplaçant la moutarde par 2 cuillerées à café de romarin ciselé. Répartissez la pâte dans les caissettes en papier, décorez avec un brin de romarin et faites cuire comme ci-dessus.

cupcakes au saumon fumé

Pour **18 cupcakes**
Préparation **25 minutes**
+ refroidissement
Cuisson **10 minutes**

150 g de **farine de sarrasin**
50 g de **farine à levure incorporée**
½ c. à c. de **levure**
3 c. à s. d'**aneth** ciselé
+ quelques brins
pour décorer
2 c. à s. de **persil** ciselé
1 bonne pincée de **sel**
50 g de **beurre demi-sel** fondu
150 ml de **lait** + 2 c. à s.
2 œufs **battus**
300 g de **fromage frais**
100 g de **saumon fumé**
poivre

Garnissez de caissettes en papier 18 alvéoles de 2 moules à muffins de 12 alvéoles. Mélangez les deux farines, la levure, l'aneth, le persil et le sel dans un saladier.

Fouettez le beurre fondu, 150 ml de lait et les œufs avec une fourchette. Versez ce mélange dans le saladier. Remuez pour obtenir un mélange homogène. Répartissez la pâte dans les caissettes jusqu'à mi-hauteur. Faites cuire 10 minutes dans un four préchauffé à 200 °C. Laissez refroidir les cupcakes sur une grille.

Fouettez le fromage frais dans un bol pour l'assouplir, puis incorporez-lui le reste de lait. Étalez la préparation sur les cupcakes, éventuellement avec une poche à douille. Taillez le saumon en languettes que vous disposerez joliment sur les cupcakes pour former des fleurs. Décorez avec des brins d'aneth et poivrez.

Pour des muffins au poivre vert et aux fines herbes, rincez et égouttez 2 cuillerées à soupe de grains de poivre vert en saumure. Écrasez légèrement. Garnissez de caissettes en papier 8 alvéoles d'un moule à muffins de 12 alvéoles. Préparez la pâte comme ci-dessus, en remplaçant la farine de sarrasin par 150 g de farine de malt et l'aneth par le poivre vert. Faites cuire comme ci-dessus. Fouettez 150 g de fromage frais avec 1 cuillerée à soupe de câpres rincées, égouttées et hachées, 4 petits cornichons hachés et 1 cuillerée à soupe de persil. Servez avec les muffins.

muffins au fromage et aux panais

Pour **10 muffins**
Préparation **20 minutes**
+ refroidissement
Cuisson **30 minutes**

250 g de **panais** coupés
en dés
environ 225 ml de **lait**
4 c. à s. d'**huile d'olive**
1 **œuf** battu
1 c. à c. de **Tabasco**
2 c. à c. de **grains
de poivre rose** (baies
roses) broyés
275 g de **farine ordinaire**
1 c. à s. de **levure**
75 g de **gruyère**
râpé finement
sel

Garnissez de caissettes en papier 10 alvéoles d'un moule à muffins de 12 alvéoles. Faites cuire les panais 10 minutes dans de l'eau bouillante salée. Égouttez, écrasez en purée et laissez refroidir.

Fouettez le lait et la purée de panais avec l'huile d'olive, l'œuf, le Tabasco et 1 cuillerée à café de baies roses. Ajoutez un peu de lait si le mélange est trop sec.

Mélangez la farine, la levure, ½ cuillerée à café de sel et le gruyère (sauf 1 cuillerée à soupe) dans un grand saladier. Ajoutez la purée de panais et remuez brièvement avec une grande cuillère en métal.

Répartissez la pâte dans les caissettes en papier. Parsemez avec le reste de gruyère et de baies roses. Salez. Faites cuire 20 minutes dans un four préchauffé à 220 °C. Posez les muffins sur une grille. Servez chaud ou froid.

Pour des muffins au céleri-rave et aux champignons, faites cuire 250 g de céleri-rave en morceaux dans de l'eau bouillante. Égouttez et écrasez en purée fine. Faites revenir 200 g de petits champignons émincés dans 25 g de beurre. Laissez refroidir. Préparez la pâte en remplaçant les panais par la purée de céleri-rave, et les baies roses par 1 cuillerée à café de grains de poivre vert écrasés. Mélangez les champignons aux ingrédients secs. Répartissez la pâte dans les caissettes. Parsemez les muffins de 1 cuillerée à café de grains de poivre vert écrasés, de gruyère râpé et d'un peu de sel. Faites cuire comme ci-dessus.

cupcakes potiron-oignon rouge

Pour **12 cupcakes**
Préparation **25 minutes**
  + refroidissement
Cuisson **50 minutes**
  à 1 heure

550 g de **potiron** ou **courge
  butternut**
1 **oignon rouge** émincé
5 c. à s. d'**huile d'olive**
275 g de **farine à levure
  incorporée**
50 g de **fécule de maïs**
15 g de **coriandre fraîche**
½ c. à c. de **sel au céleri**
2 c. à c. de **levure**
3 **œufs** battus
150 ml de **lait**

Garnissez un moule à muffins de 12 alvéoles
de caissettes en papier. Coupez le potiron en petits
dés, en jetant la peau et les pépins (il doit vous rester
environ 350 g de chair). Étalez les dés de potiron
et l'oignon rouge dans un plat à gratin. Arrosez
de 1 cuillerée à soupe d'huile d'olive. Faites rôtir
30 à 40 minutes dans un four préchauffé à 220 °C.
Laissez refroidir.

Mélangez la farine, la fécule de maïs, la coriandre,
le sel au céleri et la levure dans un saladier. Dans
un bol, fouettez les œufs, le lait et le reste d'huile
d'olive avec une fourchette.

Mélangez les dés de potiron refroidis et l'oignon avec
les ingrédients secs dans le saladier. Ajoutez le mélange
œufs-lait-huile. Remuez brièvement. Répartissez la pâte
dans les caissettes en papier. Faites cuire 20 minutes
au four. Laissez refroidir les cupcakes sur une grille
ou servez-les chauds.

Pour des cupcakes aux lentilles et aux épices,
égouttez 1 boîte de 400 g de lentilles vertes. Pilez
1 cuillerée à café de graines de coriandre, 1 cuillerée
à café de graines de fenouil et 1 cuillerée à café
de graines de cumin dans un mortier. Préparez la pâte
comme ci-dessus, en remplaçant le potiron et l'oignon
rôtis par les lentilles. Incorporez 1 cuillerée à café
de pâte de curry (moyennement forte) au mélange
œufs-lait-huile d'olive et mélangez les épices pilées
aux ingrédients secs. Faites cuire comme ci-dessus.

mini cupcakes gruyère-ciboulette

Pour **20 mini cupcakes**
Préparation **10 minutes**
Cuisson **10 à 12 minutes**

200 g de **farine à levure
incorporée**
1 c. à c. de **levure**
1 bonne pincée de **sel**
50 g de **gruyère**
finement râpé
4 c. à s. de **ciboulette**
ciselée
50 g de **beurre
demi-sel** fondu
7 c. à s. de **lait**
1 **œuf** battu

Garnissez de caissettes en papier 20 alvéoles
de 2 moules à mini muffins de 12 alvéoles. Mettez
la farine, la levure et le sel dans un saladier. Ajoutez
le gruyère et la ciboulette. Remuez jusqu'à l'obtention
d'un mélange homogène.

Fouettez le beurre fondu, le lait et l'œuf avec
une fourchette, puis versez ce mélange dans le saladier.
Remuez jusqu'à l'obtention d'une pâte épaisse.
Répartissez la pâte dans les caissettes en papier.

Faites cuire 10 à 12 minutes dans un four préchauffé
à 200 °C jusqu'à ce que les cupcakes soient gonflés
et légèrement dorés. Posez les cupcakes sur une grille.
Servez chaud ou froid.

**Pour des mini cupcakes au parmesan et aux
olives,** hachez 50 g d'olives noires dénoyautées
puis mélangez-les aux ingrédients secs ci-dessus.
Remplacez le gruyère par 50 g de parmesan finement
râpé et supprimez la ciboulette. Poursuivez comme
ci-dessus, en incorporant 1 cuillerée à soupe de
tapenade au mélange beurre-lait-œuf. Faites cuire
comme ci-dessus.

petits pains au seigle et au carvi

Pour **12 petits pains**
Préparation **10 minutes**
Cuisson **20 minutes**

3 c. à s. de **mélasse noire**
50 g de **beurre demi-sel**
  + 1 noisette pour le moule
1 **œuf**
225 ml de **lait**
150 g de **farine de seigle**
150 g de **farine ordinaire**
1 c. à s. de **levure**
½ c. à c. de **sel**
2 c. à c. de **graines de carvi**

Beurrez un moule à muffins de 12 alvéoles, de préférence antiadhésif. Mettez la mélasse et le beurre dans une petite casserole et faites chauffer à feu doux jusqu'à ce que le beurre soit fondu. Dans un bol, fouettez l'œuf et le lait avec une fourchette, puis incorporez la mélasse et le beurre.

Mettez la farine de seigle, la farine ordinaire, la levure, le sel et les graines de carvi dans un saladier. Ajoutez les ingrédients humides. Remuez délicatement jusqu'à l'obtention d'un mélange homogène. Répartissez la pâte dans les alvéoles du moule.

Faites cuire 15 minutes dans un four préchauffé à 220 °C jusqu'à ce que les petits pains aient bien gonflé. Posez-les sur une grille. Servez chaud ou froid.

Pour des petits pains « Boston », préparez la pâte comme ci-dessus, en remplaçant 75 g de farine ordinaire par 50 g de farine complète et 25 g de fécule de maïs. Supprimez le carvi et ajoutez 50 g de raisins secs aux ingrédients secs. Faites cuire comme ci-dessus.

cupcakes aux pommes de terre

Pour **12 cupcakes**
Préparation **20 minutes**
  + refroidissement
Cuisson **25 minutes**

300 g de **pommes de terre**
  coupées en dés
½ c. à c. de **filaments**
  de safran effrités
1 c. à s. d'**eau bouillante**
200 ml de **lait**
4 c. à s. d'**huile d'olive**
1 **œuf** battu
275 g de **farine ordinaire**
1 c. à s. de **levure**
2 c. à c. de **thym** ciselé
  + quelques brins
  pour décorer
1 c. à c. de **sel de mer**
  + 1 pincée
du **jaune d'œuf** légèrement
  fouetté avec 1 c. à c.
  d'**eau**, pour le glaçage
beurre pour servir

Garnissez un moule à muffins de 12 alvéoles
de caissettes en papier. Faites cuire les pommes
de terre dans une casserole d'eau bouillante salée
8 minutes environ. Égouttez-les et laissez-les refroidir.

Mélangez le safran et l'eau bouillante dans un bol.
Laissez refroidir 5 minutes. Fouettez le safran, l'eau,
le lait, l'huile d'olive et l'œuf avec une fourchette.

Mélangez la farine, la levure, le thym et le sel dans un
saladier. Ajoutez les pommes de terre et la préparation
au safran. Mélangez avec une grande cuillère en métal.

Répartissez la pâte dans les caissettes en papier.
Badigeonnez la surface avec le jaune d'œuf et l'eau.
Salez et parsemez de brins de thym. Faites cuire
15 minutes dans un four préchauffé à 220 °C. Posez
les cupcakes sur une grille. Servez-les chauds
ou froids, coupés en deux et beurrés.

Pour des cupcakes à la carotte et à la coriandre,

coupez 275 g de carottes en dés et faites-les cuire
dans une casserole d'eau bouillante salée. Égouttez-
les. Fouettez le lait, l'huile d'olive et l'œuf, comme
ci-dessus. Supprimez le safran et l'eau, et ajoutez
1 cuillerée à café de pâte de curry moyennement forte.
Continuez comme ci-dessus, en remplaçant le thym
par 2 cuillerées à soupe de coriandre fraîche ciselée
et les pommes de terre par les dés de carottes.
Répartissez la pâte dans les caissettes en papier,
badigeonnez la surface avec le jaune d'œuf et l'eau,
puis salez légèrement et faites cuire comme ci-dessus.

cupcakes
de fête

guirlande de Noël

Pour **24 cupcakes**
Préparation **25 minutes**
+ refroidissement
Cuisson **20 à 25 minutes**

6 c. à s. de **confiture
d'abricots**
1 c. à s. d'**eau**
24 **cupcakes
aux canneberges
et aux épices** (page 22)
ou 24 **cupcakes aux
fruits secs** (page 24)
sucre glace pour décorer
1 grappe de **raisin noir**
sans pépins
1 grappe de **raisin blanc**
sans pépins
3 ou 4 **clémentines**
coupées en deux
3 ou 4 **figues sèches**
entières, coupées en deux
plein de feuilles de **laurier**

Passez la confiture au tamis au-dessus d'une petite casserole. Ajoutez l'eau et faites chauffer à feu doux. Étalez une fine couche sur les cupcakes refroidis.

Disposez 15 ou 16 cupcakes sur une grande assiette plate de 35 cm de diamètre. Avec un tamis fin ou une petite passoire à thé, saupoudrez-les de sucre glace.

Découpez une feuille de houx de 6 cm de long dans 4 épaisseurs de papier. Déposez une feuille de houx en papier au centre de 4 autres cupcakes puis saupoudrez de sucre glace. Retirez le pochoir. Répétez l'opération sur les cupcakes restants. Disposez les cupcakes avec feuilles de houx en cercle sur la première couche de cupcakes.

Détaillez les grappes de raisin en petits bouquets. Glissez les fruits entre les cupcakes. Décorez avec les feuilles de laurier.

Pour des cupcakes aux canneberges, dans une petite casserole, faites chauffer à feu doux 150 g de canneberges fraîches, 50 g de sucre en poudre, ½ cuillerée à café de gingembre en poudre, 2 cuillerées à soupe de porto et 1 cuillerée à soupe d'eau jusqu'à ce que le sucre soit dissous. Laissez frémir jusqu'à ce que les canneberges commencent à éclater. Versez la préparation dans un bol et laissez refroidir. Fouettez 250 g de mascarpone et 5 cuillerées à soupe de sucre glace. Avec une poche à douille, déposez ce mélange sur le pourtour des cupcakes refroidis. Garnissez le centre avec le mélange aux canneberges.

cupcakes aux fruits secs et épices

Pour **12 cupcakes**
Préparation **20 minutes**
  + refroidissement
Cuisson **20 à 25 minutes**

125 g de **beurre demi-sel**
  en pommade
25 g de **sucre roux**
2 **œufs**
150 g de **farine à levure**
  incorporée
½ c. à c. de **levure**
1 c. à c. de **quatre-épices**
  en poudre
1 c. à s. de **lait**
300 g de « **luxury**
  mincemeat » (mélange
  de fruits secs et d'épices,
  en vente dans les épiceries
  anglo-saxonnes)

Garniture
300 ml de **crème fraîche**
4 c. à s. de **xérès**
2 c. à s. de **sucre glace**
perles en sucre roses
  et argentées pour décorer

Garnissez un moule à muffins de 12 alvéoles de caissettes en aluminium argenté ou doré. Dans un saladier, fouettez le beurre, le sucre, les œufs, la farine, la levure, le quatre-épices et le lait 1 minute avec un fouet électrique. Incorporez le mincemeat. Répartissez la pâte dans les caissettes.

Faites cuire 20 à 25 minutes dans un four préchauffé à 180 °C. Laissez refroidir les cupcakes sur une grille.

Dans un bol, fouettez la crème fraîche, le xérès et le sucre glace. Répartissez la crème obtenue sur les cupcakes et décorez avec les perles en sucre.

Pour des mini Christmas puddings, étalez finement 50 g de pâte à sucre verte prête à l'emploi avec un rouleau à pâtisserie sur un plan de travail saupoudré de sucre glace. Découpez-y 24 petites feuilles de houx à l'aide d'un emporte-pièce. Découpez 36 minuscules baies de houx dans un petit morceau de pâte à sucre rouge. Déposez les feuilles et les baies sur un carré de papier sulfurisé et laissez durcir. Préparez et faites cuire les cupcakes comme ci-dessus. Mélangez 2 cuillerées à soupe de confiture d'abricots et 2 cuillerées à café de xérès. Badigeonnez le dessus des cupcakes refroidis avec ce mélange. Étalez finement 100 g de pâte à sucre blanche avec un rouleau à pâtisserie. Découpez-y des petits disques avec des bords qui ondulent légèrement. Déposez les petits disques sur les cupcakes puis décorez avec les feuilles et les baies en les collant à l'aide d'un pinceau humide.

étoiles de Noël

Pour **12 cupcakes**
Préparation **35 minutes**
+ refroidissement
Cuisson **20 minutes**

100 g de **pâte à sucre blanche** prête à l'emploi
12 **cupcakes à la vanille** (page 22)
½ portion de **crème au beurre** (page 18)
200 g de **sucre glace** + 1 pincée pour le plan de travail
4 ou 5 c. à c. d'**eau**
25 g de **noix de coco** séchée

Malaxez la pâte à sucre blanche sur un plan de travail saupoudré de sucre glace. Étalez-la en couche épaisse avec un rouleau à pâtisserie. Découpez-y des petites étoiles. Posez les étoiles sur une plaque recouverte de papier sulfurisé. Laissez-les durcir.

Avec un petit couteau, découpez un creux profond, en forme de cône, au centre de chaque cupcake. Remplissez les cavités de crème au beurre. Reposez les cônes de pâte sur la crème au beurre, pointe vers le haut.

Mélangez le sucre glace et l'eau dans un bol jusqu'à l'obtention d'une pâte lisse. Le glaçage doit être onctueux sans être trop épais. Versez le glaçage sur les cupcakes. Parsemez de noix de coco séchée.

Enfoncez 1 étoile au sommet de chaque cupcake. Laissez prendre.

Pour des cupcakes féeriques, étalez 150 g de pâte à sucre blanche avec un rouleau à pâtisserie sur un plan de travail saupoudré de sucre glace. Découpez-y 24 petits sapins de tailles différentes à l'aide d'emporte-pièces. Posez les sapins sur une plaque recouverte de papier sulfurisé et laissez durcir plusieurs heures. Préparez les cupcakes. Fouettez 75 g de beurre doux ramolli et 125 g de sucre glace. Quand le mélange est lisse, étalez-le sur les cupcakes refroidis. Posez les sapins sur la crème au beurre. Saupoudrez de sucre glace.

cupcakes au gingembre

Pour **12 cupcakes**
Préparation **30 minutes**
+ refroidissement et temps
de prise
Cuisson **15 à 20 minutes**

125 g de **beurre demi-sel**
125 ml de **sirop d'érable**
125 g de **sucre
de canne blond**
225 g de **farine à levure
incorporée**
1 c. à c. de **levure**
1 c. à c. de **gingembre
en poudre**
2 **œufs**
125 ml de **lait**
3 c. à s. de **gingembre
confit** haché + un peu
pour décorer

Glaçage
200 g de **sucre glace**
tamisé
4 c. à c. d'**eau**
2 morceaux de **gingembre
confit** coupés en petites
tranches

Garnissez un moule à muffins de 12 alvéoles de caissettes en papier ou en aluminium. Faites chauffer le beurre, le sirop d'érable et le sucre dans une casserole à feu doux, en remuant, jusqu'à ce que le beurre soit fondu. Mélangez la farine, la levure et le gingembre en poudre dans un saladier. Dans un autre récipient, fouettez les œufs avec le lait.

Retirez du feu la casserole avec le beurre. Versez-y le mélange avec la farine puis fouettez. Incorporez progressivement le mélange œufs-lait, puis ajoutez le gingembre confit. Répartissez la pâte dans les caissettes.

Faites cuire 10 à 15 minutes dans un four préchauffé à 180 °C. Laissez refroidir les gâteaux sur une grille.

Tamisez le sucre glace au-dessus d'un bol. Incorporez-lui progressivement l'eau jusqu'à l'obtention d'un glaçage lisse et onctueux. Avec une cuillère, faites couler le glaçage sur les cupcakes et décorez avec les petites tranches de gingembre confit. Laissez prendre 30 minutes avant de servir.

Pour des cupcakes de Noël, préparez la pâte comme ci-dessus, en remplaçant le gingembre par 6 cerises confites hachées finement. Mélangez 100 g de cerises confites hachées et 25 g d'ananas séchés moelleux hachés. Préparez le glaçage comme ci-dessus et versez-le sur les cupcakes refroidis. Décorez avec le mélange de fruits confits et des perles de sucre dorées ou argentées.

petits nids de Pâques

Pour **12 cupcakes**
Préparation **35 minutes**
  + refroidissement
Cuisson **25 minutes**

1 portion de **crème
  au chocolat** (page 18)
12 **cupcakes au chocolat**
  (page 22)
200 g de **copeaux
  de chocolat**
36 **petits œufs en chocolat**
  enrobés de sucre

Étalez la crème au chocolat sur les cupcakes refroidis avec une petite palette.

Disposez les copeaux de chocolat sur le tour, en les pressant dans la crème, de manière à former des petits « nids » d'oiseaux. Posez 3 œufs au centre de chaque nid.

Pour des cupcakes au chocolat et à la châtaigne,
préparez et faites cuire les cupcakes comme indiqué page 22, en ajoutant ½ cuillerée à café de cannelle en poudre en même temps que le cacao. Percez le dessus des cupcakes avec une brochette puis arrosez chacun d'eux de 1 cuillerée à soupe de cognac. Fouettez 200 g de purée de marrons et 2 cuillerées à soupe de cognac. Dans un autre récipient, fouettez 300 ml de crème fraîche et 25 g de sucre glace jusqu'à ce que des pointes souples se forment. Incorporez la purée de marrons et nappez les cupcakes avec ce mélange. Parsemez de copeaux de chocolat.

cupcakes de Pâques

Pour **12 cupcakes**
Préparation **30 minutes**
+ refroidissement
Cuisson **20 minutes**

125 g de **beurre demi-sel**
en pommade
125 g de **sucre en poudre**
2 **œufs**
100 g de **farine à levure
incorporée**
½ c. à c. de **levure**
50 g de **poudre d'amandes**
le **zeste** finement râpé
de 1 **citron**

Garniture
75 g de **beurre doux**
en pommade
150 g de **sucre glace**
1 c. à c. d'**extrait de vanille**
125 g de **fondant pâtissier**
prêt à l'emploi
3 ou 4 c. à s. de **jus
de citron**
quelques gouttes
de **colorant alimentaire
jaune**
12 **fleurs en sucre**
pour décorer

Garnissez un moule à muffins de 12 alvéoles de caissettes en papier. Fouettez tous les ingrédients de la pâte dans un saladier 1 à 2 minutes avec un fouet électrique. Répartissez la pâte dans les caissettes en papier.

Faites cuire 20 minutes dans un four préchauffé à 180 °C. Laissez refroidir les gâteaux sur une grille.

Fouettez le beurre doux, le sucre glace et l'extrait de vanille dans un bol jusqu'à ce que le mélange soit lisse. Déposez une cuillerée de ce mélange en dôme sur chaque cupcake.

Fouettez le fondant avec juste ce qu'il faut de jus de citron pour obtenir un glaçage fluide. Incorporez le colorant alimentaire. Déposez 1 cuillerée à café de ce glaçage sur la crème au beurre. Étalez légèrement le glaçage de manière à recouvrir complètement la crème au beurre. Décorez chaque cupcake avec 1 fleur.

Pour des cupcakes festifs aux épices, préparez la pâte comme ci-dessus, en remplaçant le zeste de citron par le zeste râpé de 1 orange et 1 cuillerée à café de quatre-épices en poudre. Faites cuire comme ci-dessus. Préparez le fondant comme ci-dessus, en remplaçant le jus de citron par 2 ou 3 cuillerées à soupe de jus d'orange. Incorporez quelques gouttes de colorant alimentaire rouge. Étalez le glaçage sur les cupcakes refroidis et décorez avec des épices entières (anis étoilé, bâtons de cannelle, gousses de cardamome ou clous de girofle, par exemple).

mini « simnel cakes »

Pour **12 cupcakes**
Préparation **30 minutes**
+ refroidissement et
trempage
Cuisson **30 minutes**

125 g de **beurre demi-sel**
en pommade
50 g de **sucre de canne**
blond
1 morceau de **gingembre**
confit haché finement
+ 2 c. à s. de **sirop**
2 **œufs**
150 g de **farine à levure**
incorporée
½ c. à c. de **levure**
½ c. à c. de **noix**
de muscade
fraîchement râpée
200 g de **fruits secs**, mis
à tremper 1 heure dans
3 c. à s. de **cognac**
ou de **liqueur à l'orange**
325 g de **pâte d'amandes**
blanche
sucre glace pour décorer

Garnissez un moule à muffins de 12 alvéoles de caissettes en papier. Fouettez les ingrédients de la pâte dans un saladier 1 minute avec un fouet électrique. Ajoutez les fruits secs imbibés et le liquide, et mélangez.

Façonnez 100 g de pâte d'amandes en une bûchette de 6 cm de long. Coupez-la en 12 tranches. Répartissez la moitié de la pâte à gâteaux dans les caissettes. Déposez 1 tranche de pâte d'amandes dans chaque caissette. Recouvrez du reste de pâte à gâteaux. Faites cuire 25 minutes dans un four préchauffé à 180 °C. Laissez refroidir les gâteaux sur une grille.

Étalez finement le reste de pâte d'amandes au rouleau sur un plan de travail saupoudré de sucre glace. Découpez-y 12 disques de 5 cm. Badigeonnez les cupcakes avec le sirop de gingembre puis recouvrez-les de disques de pâte d'amandes. Aplatissez un mince ruban de pâte puis enroulez-le pour former une rose. Posez 1 rose sur chaque cupcake. Posez les cupcakes sur une plaque de cuisson et passez-les sous le gril en surveillant.

Pour des « simnel cakes » aux agrumes, fouettez 125 g de beurre demi-sel ramolli, 75 g de sucre en poudre, 2 œufs, 100 g de farine à levure incorporée, ½ cuillerée à café de levure, 50 g de poudre d'amandes et le zeste râpé de 1 orange et de 1 citron. Émiettez 200 g de pâte d'amandes sur les petits gâteaux avant de les cuire. Mélangez 50 g de sucre glace et 1 à 1 ½ cuillerée à café de jus de citron. Arrosez les cupcakes refroidis de ce mélange.

216

chauves-souris en vol

Pour **12 cupcakes**
Préparation **40 minutes**
+ refroidissement
et temps de prise
Cuisson **20 minutes**

125 g de **pâte à sucre noire** prête à l'emploi
sucre glace pour le plan de travail
2 c. à s. de **miel** liquide
12 **cupcakes à la vanille** (page 22)
175 g de **pâte à sucre orange** prête à l'emploi
1 **crayon pâtissier noir**
petits **bonbons rouges, orange** et **jaunes**

Malaxez la pâte à sucre noire sur un plan de travail saupoudré de sucre glace. Étalez la pâte en une couche épaisse avec un rouleau à pâtisserie. Découpez-y 12 silhouettes de chauves-souris, à la main ou avec un emporte-pièce, puis posez-les sur un carré de papier sulfurisé. Laissez durcir pendant que vous décorez les petits gâteaux.

Étalez ½ cuillerée à café de miel liquide sur chaque cupcake refroidi. Étalez finement la pâte à sucre orange, puis découpez-y 12 disques avec un emporte-pièce de 6 cm. Déposez un disque de pâte sur chaque cupcake.

Déposez les chauves-souris sur les petits gâteaux. Humectez le pourtour des disques de pâte orange et tracez un serpentin avec le crayon pâtissier. Finissez en enfonçant délicatement les petits bonbons dans la pâte à sucre, le long de la ligne noire.

Pour des cupcakes araignées, badigeonnez chaque cupcake d'une fine couche de confiture d'abricots ou de fruits rouges. Étalez finement 200 g de pâte à sucre verte ou bleue prête à l'emploi sur un plan de travail saupoudré de sucre glace. Découpez-y 12 disques avec un emporte-pièce de 6 cm. Déposez les disques de pâte sur les cupcakes puis, avec un crayon pâtissier noir, dessinez-y des toiles d'araignées. Représentez les araignées par des petits bonbons colorés.

étoiles, points et rayures

Pour **12 cupcakes**
Préparation **40 minutes**
 + refroidissement
Cuisson **20 minutes**

½ portion de **crème
 au beurre** (page 18)
12 **cupcakes à la vanille**
 (page 22)
150 g de **pâte à sucre
 blanche** prête à l'emploi
125 g de **pâte à sucre
 bleue** prête à l'emploi
sucre glace pour le plan
 de travail

Étalez la crème au beurre sur les cupcakes.

Malaxez la pâte à sucre blanche et la pâte à sucre bleue sur un plan de travail saupoudré de sucre glace. Étalez 50 g de pâte blanche et découpez-y 4 disques de 6 cm. Dans chaque disque, découpez 6 petites étoiles. Étalez un peu de pâte à sucre bleue et découpez-y 24 petites étoiles. Insérez les étoiles bleues dans les disques de pâte blanche. Déposez les 4 disques étoilés sur 4 cupcakes.

Étalez 50 g de pâte à sucre blanche. Façonnez des petites boulettes de pâte à sucre bleue entre le pouce et l'index. Pressez ces boulettes dans la pâte à sucre blanche. Aplatissez avec le rouleau. Découpez 4 disques que vous poserez sur 4 autres cupcakes.

Découpez de longues bandelettes blanches et bleues de 5 mm de large dans les restes de pâte à sucre. Posez les bandelettes côte à côte en alternant les couleurs. Aplatissez avec le rouleau. Découpez 4 disques et posez-les sur les 4 derniers cupcakes.

Pour des cupcakes étoiles et lunes, préparez 12 cupcakes au chocolat (page 22). Faites fondre 100 g de chocolat blanc (pages 16-17). Dessinez 6 étoiles et 6 lunes sur du papier sulfurisé. Versez le chocolat fondu dans un cône en papier (page 15), puis remplissez les silhouettes. Laissez prendre. Faites fondre 100 g de chocolat noir avec 15 g de beurre doux. Nappez les cupcakes de ce mélange. Détachez les lunes et les étoiles et posez-les sur les cupcakes.

cupcakes crépitants

Pour **12 cupcakes**
Préparation **40 minutes**
 + refroidissement
 et temps de prise
Cuisson **25 à 30 minutes**

100 g de **courge butternut**
 pelée et épépinée
125 g de **beurre demi-sel**
 en pommade
50 g de **sucre de canne
 blond**
100 g de **miel** liquide
2 **œufs**
150 g de **farine à levure
 incorporée**
50 g de **flocons d'avoine**
½ c. à c. de **levure**
1 c. à c. de **quatre-épices
 en poudre**

Pour décorer
50 g de **pâte à sucre
 orange** prête à l'emploi
50 g de **pâte à sucre
 blanche** prête à l'emploi
200 g de **sucre glace**
 + 1 pincée pour décorer
2 c. à s. de **jus d'orange**
4 c. à s. d'**orange curd**
bougies feu d'artifice

Garnissez un moule à muffins de 12 alvéoles de caissettes en papier ou en aluminium. Râpez la courge butternut dans un saladier. Ajoutez les autres ingrédients de la pâte et fouettez 1 minute avec un fouet électrique. Répartissez la pâte dans les caissettes.

Faites cuire 25 à 30 minutes dans un four préchauffé à 180 °C. Laissez refroidir les gâteaux sur une grille.

Étalez la pâte à sucre orange et la pâte à sucre blanche sur un plan de travail saupoudré de sucre glace. Découpez-y des petites étoiles. Enfoncez un bâtonnet en bois dans les étoiles et posez-les sur un carré de papier sulfurisé. Laissez durcir au moins 1 heure.

Fouettez le sucre glace et 2 cuillerées à soupe de jus d'orange dans un bol. Ajoutez un peu de jus si nécessaire. Étalez ce mélange sur les cupcakes. Déposez 1 cuillerée à café d'orange curd sur chaque petit gâteau en formant une spirale. Enfoncez 1 étoile dans chaque cupcake. Juste avant de servir, mettez les bougies feu d'artifice en place et allumez-les.

Pour des cupcakes aux épices et au miel, préparez la pâte comme ci-dessus en augmentant la quantité de quatre-épices à 2 cuillerées à café et en ajoutant ½ cuillerée à café de cannelle en poudre. Faites cuire comme ci-dessus et laissez refroidir. Fouettez 200 g de yaourt grec et 1 cuillerée à soupe de miel liquide. Étalez ce mélange sur les cupcakes. Arrosez avec un filet de miel liquide pour décorer.

cupcakes de mariage

Pour **12 cupcakes**
Préparation **30 minutes**
  + refroidissement
Cuisson **20 minutes**

12 **cupcakes à la vanille**
  (page 22)
4 c. à s. de **xérès** ou
  de **liqueur à l'orange**
  (facultatif)
200 g de **sucre glace**
  tamisé
1 ou 2 c. à s. de **jus**
  de citron
36 **dragées**
12 **fleurs cristallisées**
  (page 228)
mince **ruban blanc**
  pour décorer

Arrosez les cupcakes avec le xérès ou la liqueur à l'orange. Mélangez le sucre glace avec du jus de citron dans un bol. Remuez avec une cuillère en bois jusqu'à ce que le mélange épaississe tout en restant onctueux. Vous n'aurez peut-être pas besoin de tout le jus de citron.

Étalez le glaçage au citron sur les cupcakes avec une petite palette. Déposez 3 dragées au milieu de chaque cupcake.

Posez 1 fleur cristallisée sur les dragées. Cernez chaque petit gâteau d'un ruban noué en cocarde.

Pour un gâteau d'anniversaire, étalez 100 g de pâte à sucre prête à l'emploi (choisissez la couleur). Découpez-y les chiffres correspondant à l'âge de la personne dont on fête l'anniversaire à l'aide d'emporte-pièces. Posez les chiffres sur une plaque recouverte de papier sulfurisé. Laissez durcir plusieurs heures ou toute une nuit. Préparez les cupcakes à la vanille (page 22), en remplaçant 50 g de sucre en poudre par 50 g de chocolat blanc râpé. Faites fondre 100 g de chocolat blanc haché avec 65 g de beurre doux et 2 cuillerées à soupe de lait dans une petite casserole. Remuez pour lisser le mélange. Versez la préparation dans un bol. Incorporez 100 g de sucre glace, en fouettant avec une cuillère en bois. Étalez ce mélange sur les cupcakes refroidis. Posez les chiffres en pâte à sucre sur les cupcakes, verticalement. Parsemez de vermicelles en sucre multicolores.

cupcakes de la Saint-Valentin

Pour **12 cupcakes**
Préparation **30 minutes**
  + refroidissement
Cuisson **20 minutes**

200 g de **sucre glace**
  + 1 pincée pour
  saupoudrer le plan
  de travail
4 ou 5 c. à c. d'**eau de rose**
  ou de **jus de citron**
12 **cupcakes à la vanille**
  (page 22)
100 g de **pâte à sucre
  rouge** prête à l'emploi
6 c. à s. de **confiture
  de fraises**

Mettez le sucre glace dans un bol. Ajoutez 4 ou 5 cuillerées à café d'eau de rose ou de jus de citron. Remuez jusqu'à l'obtention d'un mélange épais et lisse. Ajoutez un peu de liquide si nécessaire. Étalez ce mélange sur les cupcakes refroidis.

Malaxez la pâte à sucre rouge sur un plan de travail saupoudré de sucre glace. Étalez la pâte en couche épaisse avec un rouleau à pâtisserie. Découpez-y 12 petits cœurs avec un emporte-pièce. Déposez 1 cœur sur chaque cupcake.

Pressez la confiture à travers un tamis puis versez-la dans une poche munie d'une douille à écriture. Déposez des petits points de confiture sur le pourtour des cupcakes et tracez une ligne sur les cœurs.

Pour des cupcakes aux fruits et aux fleurs,
fouettez 150 ml de crème fraîche et 3 cuillerées à soupe de liqueur parfumée à l'orange dans un petit bol. Étalez ce mélange sur les cupcakes refroidis. Parsemez de framboises fraîches, de petits grains de raisin noir sans pépins et de myrtilles. Déposez une petite rose au milieu des fruits. Avant de servir, saupoudrez de sucre glace.

cupcakes aux fleurs cristallisées

Pour **12 cupcakes**
Préparation **40 minutes**
 + refroidissement
 et temps de prise
Cuisson **20 minutes**

un choix de **petits fleurs
 de printemps
 comestibles** (primevères,
 violettes, pétales de rose,
 pâquerettes…)
1 **blanc d'œuf**
sucre en poudre
1 portion de **crème
 au chocolat** blanc
 (page 18)
12 **cupcakes à la vanille**
 (page 22)
ruban mince couleur pastel,
 pour décorer (facultatif)

Assurez-vous que les fleurs sont propres et parfaitement sèches avant de les cristalliser. Mettez le blanc d'œuf dans un petit bol et fouettez légèrement avec une fourchette. Mettez le sucre en poudre dans un autre bol.

Avec les doigts ou un pinceau souple, enduisez soigneusement les pétales de blanc d'œuf des deux côtés. Saupoudrez généreusement de sucre jusqu'à ce que les fleurs soient bien recouvertes. Déposez les fleurs sur un morceau de papier sulfurisé et laissez reposer au moins 1 heure.

Étalez la crème au chocolat sur les cupcakes refroidis avec une petite palette. Décorez avec les fleurs cristallisées. Cernez chaque petit gâteau d'un ruban noué en cocarde.

Pour des cupcakes à la noix de coco, préparez les cupcakes à la vanille (page 22), en ajoutant le zeste finement râpé de 2 citrons verts et 1 cuillerée à soupe de jus. Dans une casserole, faites chauffer 75 ml de crème liquide et 50 g de pulpe de noix de coco fraîche hachée à feu doux jusqu'à ce que la pulpe soit délayée. Versez la préparation dans un bol. Ajoutez 2 cuillerées à café de jus de citron vert et 300 g de sucre glace. Fouettez jusqu'à l'obtention d'un mélange épais et lisse que vous étalerez sur les cupcakes refroidis. Décorez avec du zeste de citron vert râpé.

cupcakes tee et balle de golf

Pour **12 cupcakes**
Préparation **40 minutes**
+ refroidissement
Cuisson **20 à 25 minutes**

8 c. à s. de **pâte à tartiner au chocolat et aux noisettes** ou ½ portion de **crème au chocolat** (page 18)
12 **cupcakes à la vanille** ou **au chocolat** (page 22)
200 g de **pâte à sucre verte** prête à l'emploi
sucre glace pour le plan de travail
75 g de **pâte à sucre blanche** prête à l'emploi
12 **balles de golf en chocolat**

Fouettez la pâte à tartiner (ou la crème au chocolat) pour l'assouplir un peu. Étalez-la sur les cupcakes refroidis à l'aide d'une petite palette.

Malaxez la pâte à sucre verte sur un plan de travail saupoudré de sucre glace. Étalez finement la pâte au rouleau, puis découpez-y 12 disques avec un emporte-pièce de 5 cm. Posez 1 disque de pâte sur chaque cupcake.

Façonnez 12 petits tees de golf dans la pâte à sucre blanche. Posez 1 tee sur chaque petit gâteau en le collant avec un pinceau humide. Pressez une balle de golf dans la pâte à sucre à côté du tee.

Pour une version foot, préparez les cupcakes comme ci-dessus. Nappez-les de crème au chocolat. Dans un bol, fouettez 150 g de sucre glace, quelques gouttes de colorant alimentaire vert et 3 ou 4 cuillerées à café d'eau jusqu'à l'obtention d'un glaçage épais et onctueux. Déposez un peu de ce glaçage sur les cupcakes en l'étalant jusqu'aux bords de manière à ce que la crème au chocolat transparaisse légèrement. Déposez 1 petit ballon de foot en chocolat sur chaque cupcake.

cupcakes d'été

Pour **24 cupcakes**
Préparation **1 heure à
1 h 30** + refroidissement
et temps de prise
Cuisson **25 minutes**

250 g de **beurre demi-sel**
en pommade
250 g de **sucre en poudre**
4 **œufs**
1 c. à s. de **pâte de vanille**
ou d'**extrait de vanille**
le **zeste** finement râpé
de 2 **citrons**
300 g de **farine à levure
incorporée**
1 c. à c. de **levure**

Pour décorer
sucre glace pour le plan
de travail
125 g de **pâte à sucre rose
pâle** prête à l'emploi
125 g de **pâte à sucre rose
foncé** prête à l'emploi
300 ml de **crème fraîche**
300 g de **chocolat blanc**
cassé en petits morceaux

Garnissez de caissettes en papier les alvéoles
de 2 moules à muffins de 12 alvéoles. Fouettez
dans un saladier tous les ingrédients de la pâte 1 minute
avec un fouet électrique. Répartissez la pâte dans
les caissettes.

Faites cuire 20 minutes dans un four préchauffé
à 180 °C. Laissez refroidir les gâteaux sur une grille.

Étalez la pâte à sucre rose pâle au rouleau sur
un plan de travail saupoudré de sucre glace. Découpez-y
12 fleurs avec un emporte-pièce de 4 cm de diamètre.
Incurvez-les légèrement en les pressant dans la paume
puis posez-les sur une feuille de papier d'aluminium
froissée pour qu'elles durcissent. Étalez la pâte à sucre
rose foncé et découpez 12 autres fleurs. Prenez
une toute petite boulette de pâte rose pâle dans
les chutes et pressez-la contre un morceau de tulle
pour y imprimer les mailles. Retirez le tulle et pressez
délicatement la boulette de pâte au centre d'une fleur
rose foncé. Répétez l'opération pour les autres fleurs,
en alternant rose pâle et rose foncé.

Faites chauffer 200 ml de crème fraîche dans une petite
casserole. Quand elle est sur le point de bouillir, versez-la
sur le chocolat dans un bol. Remuez pour lisser
le mélange. Laissez refroidir.

Incorporez le reste de crème à la préparation précédente.
Déposez la crème sur les gâteaux avec une cuillère
ou une poche à douille. Décorez avec les fleurs.

annexe

table des recettes

cupcakes incontournables

cupcakes au chocolat

cupcakes salés

cupcakes de fête

Les nouveautés :

Découvrez toute la collection :

entre amis

À chacun sa
petite cocotte
Apéros
Brunchs et petits
dîners pour toi & moi
Chocolat
Cocktails glamour
& chic
Cupcakes colorés
à croquer
Desserts trop bons
Grillades & Barbecue
Verrines

cuisine du monde

200 bons petits
plats italiens
Curry
Pastillas, couscous,
tajines
Spécial thaï
Wok

tous les jours

200 plats pour changer
du quotidien
200 recettes pour
étudiants
Cuisine du marché à
moins de 5 euros
Les 200 plats
préférés des enfants
Mon pain
Pasta
Pâtisserie facile
Petits gâteaux
Préparer et cuisiner
à l'avance
Recettes faciles
Recettes pour bébé
Risotto et autres façons
de cuisiner le riz
Spécial Débutants
Spécial Poulet

bien-être

5 fruits & légumes
par jour
21 menus minceur
pour perdre du poids
21 menus minceur
pour garder la ligne
200 recettes vitaminées
au mijoteur
Papillotes, la cuisine
vapeur qui a du goût
Petits plats minceur
Poissons & crustacés
Recettes vapeur
Salades
Smoothies et petits jus
frais & sains
Soupes pour tous
les goûts

SIMPLE PRATIQUE BON | **POUR CHAQUE RECETTE, UNE VARIANTE EST PROPOSÉE.**

MARABOUT
LES PETITS COSTAUDS CÔTÉ CUISINE